ポケット
日本文学館
1

# 坊っちゃん

▲夏目漱石(なつめそうせき)(1867〜1916)

▲野だいこたちがターナー島と名づけた青島
（本文70ページでは青嶋）

▶松山から道後温泉へ行くときに利用された当時の汽車（模型）。坊っちゃん列車とよばれる。

▲夏目漱石がいたころの松山中学校舎（現在は明教館）

# もくじ

夏目漱石

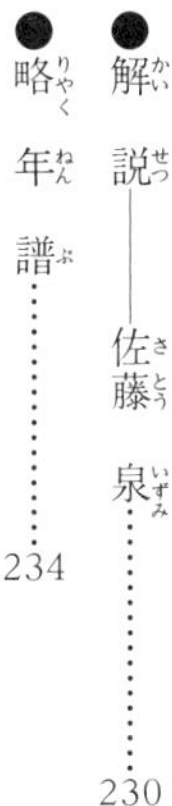



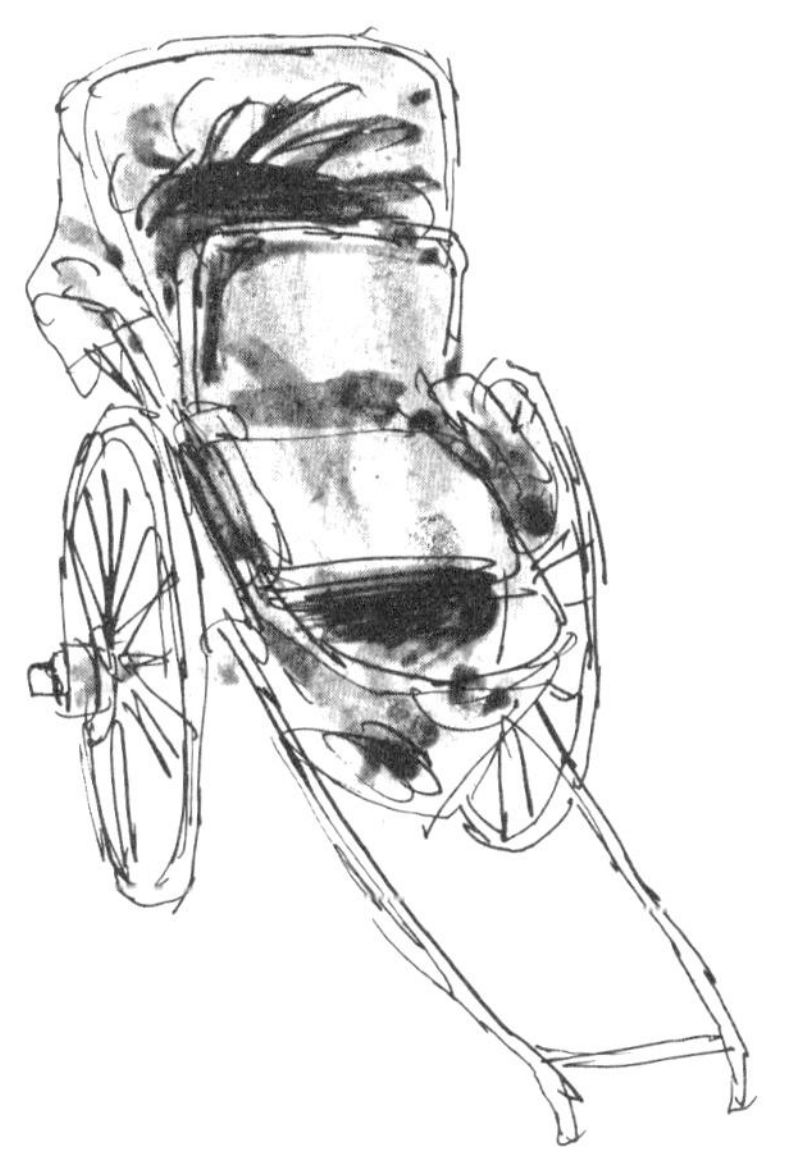

◆この本の本文表記について

●現代かなづかい、現代送りがなを使用した。

●極端な宛て字と思われるもの、また代名詞・副詞・接続詞などのうち原文を損なうおそれが少ないと思われるものをかなにあらためた。

●本文は総ルビとし、むずかしい語句や事項には、小さな字で注を加えた。注と本文ルビが重なる場合はルビをとった。ただし、誤読のおそれのあるものには、左側にルビをそえた。

●さらに説明を必要とする語句や事項には、＊をつけイラストやくわしい注をつけ加えた。

# 坊（ぼ）っちゃん

# 一

親譲りの無鉄砲（あとさきを考えないですること）で小供のときから損ばかりしている。小学校にいる時分学校の二階から飛び降りて一週間ほど腰を抜かしたことがある。なぜそんな無闇（むちゃなこと）をしたと聞く人があるかもしれぬ。別段深い理由でもない。新築の二階から首を出していたら、同級生の一人が冗談に、いくら威張っても、そこから飛び降りることはできまい。弱虫やーい。と囃（声をあげて、ばかにした）したからである。小使（用務員のおじさん）に負ぶさって帰ってきたとき、おやじが大きな眼をして二階ぐらいから飛び降りて腰を抜かす奴があるかといったから、この次は抜かさずに飛んでみせますと答えた。

親類のものから西洋製のナイフをもらって奇麗な刃を日に翳して（頭上で太陽の光に照らして）、友達に見せていたら、一人が光ることは光るが切れそうもないといった。切れぬことがあるか、なんでも切ってみせると受け合った。そんなら君の指を切ってみろと注文したから、なんだ指ぐらいこのとおりだと右の手の親指の甲をはすに（ななめに）切り込んだ。幸いナイフが小さいのと、親指の骨が堅かったので、今だに親指は手に付いている。しかし創痕は死ぬまで消えぬ。

庭を東へ二十歩にゆき尽くすと、南上がり（南へ高くなっている所に）にいささかばかりの菜園（やさいを作る畑）があって、真ん中に栗の木

**四つ目垣** 竹をたてよこに組んでつくったかきね。

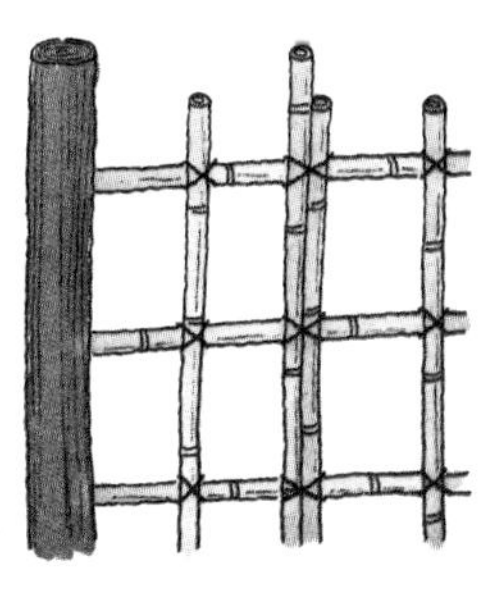

**袷** つらをつけた和服

ゆき
袖口
袖口布
内あげ
着丈
前身ごろ
裏衽

が一本立っている。これは命より大事な栗だ。実の熟する時分は起き抜けに背戸(うら口)を出て落ちた奴を拾ってきて、学校で食う。菜園の西側が山城屋という質屋の庭続きで、この質屋に勘太郎という十三、四の倅(むすこ)がいた。勘太郎は無論弱虫である。弱虫のくせに*四つ目垣を乗りこえて、栗を盗みにくる。ある日の夕方折り戸(ちょうつがいを付けて、あけたてする戸)の蔭に隠れて、とうとう勘太郎を捕まえてやった。そのとき勘太郎は逃げ道を失って、一生懸命に飛びかかってきた。向こうは二つばかり年上である。弱虫だが力は強い。鉢の開いた頭(まわりが大きくでっぱっている)を、こっちの胸へ宛ててぐいぐい押した拍子に、勘太郎の頭がすべって、おれの*袷の袖の中にはいった。邪魔になって手が使えぬから、無暗に手を振ったら、袖の中にある勘太郎の頭が、右左へぐらぐら靡いた。しまいに苦しがって袖の中から、おれの二の腕(かたとひじのあいだ)へ食いついた。痛かったから勘太郎を垣根へ押しつけておいて、足搦(足をからませて)をかけて向こうへ倒してやった。山城屋の地面は菜園より六尺(やく百八十センチばかり)がた低い。勘太郎は四つ目垣を半分くずして、自分の領分(家の土地)へ真っ逆さまに落ちて、ぐうといった。勘太郎が落ちるときに、おれの袷の片袖がもげて、きゅうに手が自由になった。その晩母が山城屋に詫びに(あやまりに)いったついでに袷の片袖も取り返してきた。

このほかいたずらはだいぶやった。大工の兼公と肴屋の角をつれて、茂作の人参畠をあらしたことがある。人参の芽が出揃わぬ処へ藁が一面に敷いてあったから、その上で三人が半日相撲をとりつづけに取ったら、人参がみんな踏みつぶされてしまった。古川の持っている田圃の井戸を埋めて尻を持ち込まれた(もんくをつけられた)こともある。太い孟宗(竹の一種。孟宗竹のこと)の節を抜いて、深く埋めた中から水が湧き出て、そこいらの稲に水がかかる仕掛けであった。その時分はどんな仕掛けか知らぬから、石や棒ちぎれ(棒のきれはし)をぎゅうぎゅう井戸の中へ挿し込んで、水が出なくなったのを見届けて、うちへ帰って飯を食っていたら、古川が真っ赤になって怒鳴り込んできた。たしか罰金を出して済んだようである。

おやじはちっともおれを可愛がってくれなかった。母は兄ばかり贔負にしていた。この兄はやに(いやに)色が白くって、芝居の真似をして女形(女の役を専門にする男の役者)になるのが好きだった。おれを見る度にこいつはどうせ碌なものにはならないと、おやじがいった。乱暴で乱暴で行く先が案じられると母がいった。なるほど碌なものにはならない。御覧のとおりの始末である。行く先が案じられたのも無理はない。

ただ懲役（刑務所に入れて労働させる刑）にゆかないで生きているばかりである。

母が病気で死ぬ二、三日前台所で宙返りをしてへっつい（かまど）の角で肋骨を撲って大いに痛かった。母がたいそう怒って、お前のようなものの顔は見たくないというから、親類へ泊まりにいっていた。するととうとう死んだという報知がきた。そう早く死ぬとは思わなかった。そんな大病なら、もう少しおとなしくすればよかったと思って帰ってきた。そうしたら例の（さきほどの）兄がおれを親不孝だ、おれのために、おっかさんが早く死んだんだといった。口惜しかったから、兄の横っ面を張ってたいへん叱られた。

母が死んでからは、おやじと兄と三人で暮らしていた。おやじはなんにもせぬ男で、人の顔さえ見れば貴様（男が相手をののしって使うことば）は駄目だ駄目だと口癖のようにいっていた。なにが駄目なんだか今（いまだに）に分からない。妙なおやじがあったもんだ。兄は実業家になるとかいってしきりに英語を勉強していた。元来女のような性分で、ずるいから、仲がよくなかった。十日に一ぺんぐらいの割で喧嘩をしていた。あるとき将棋をさしたら卑怯な待ち駒（王将に逃げられぬよう、あらかじめうつ駒）をして、人が困ると嬉しそうに冷やかした。あんまり腹が立ったから、手にあった飛車を眉間へ擲きつけてやった。眉間（まゆとまゆの間）が割れて少々血が出た。兄がおやじに言付けた（言い付けた）。おやじがおれを勘当（親子の縁を切ること）するといいだした。

そのときはもう仕方がないと観念して先方のいうとおり勘当されるつもりでいたら、十年来召し使っている清という下女が、（お手伝いさん）泣きながらおやじに詫まって、ようやくおやじの怒りが解けた。それにもかかわらずあまりおやじを怖いとは思わなかった。かえってこの清という下女に気の毒であった。この下女はもと由緒（歴史のある、りっぱな家に生まれた）のあるものだったそうだが、瓦解のときに零落（瓦解とはくずれることで、徳川幕府がたおれたのをいう。つまり明治維新になって落ちぶれて、の意味）して、つい奉公までするようになったのだと聞いている。だから婆さんである。この婆さんがどういう因縁か、（関係）おれを非常に可愛がってくれた。不思議なものである。母も死ぬ三日前に愛想をつかした——（すっかり見すてた）おやじも年中持て余している——町内では乱暴者の悪太郎と爪弾き（きらわれ、なかまはずれにされる）をする——このおれを無暗に珍重してくれた。おれは到底人に好かれる性でないとあきらめていたから、他人から木の端のように（つまらぬ、とるにたりないもののように）取り扱われるのはなんとも思わない、かえってこの清のようにちやほやしてくれるのを不審に（うたがわしく）考えた。清はときどき台所で人のいないときに「あなたは真っ直でよい御気性だ」（性格）と賞めることがときどきあった。しかしおれには清のいう意味が分からなかった。いい気性なら清以外のものも、もう少しよくしてくれるだろうと思った。清がこんなことをいう度におれはお世辞は嫌いだと答えるのが常であった。すると婆さんはそれだからいい御気性ですといっては、嬉しそうにおれの顔を眺めている。自分の力でおれを製造して誇ってるように見える。少々気味がわるかった。

母が死んでから清はいよいよおれを可愛がった。ときどきは小供心になぜあんなに可愛がるのかと不審に思った。つまらない、よせばいいのにと思った。気の毒だと思った。それでも清は可愛がる。折々（ときどき）は自分の小遣いで金鍔や紅梅焼き（当時、てがるに買えたあまい和菓子）を買ってくれる。寒い夜などはひそかに蕎麦粉を仕入れて（買って）おいて、いつの間にか寝ている枕もとへ蕎麦湯を持ってきてくれる。ときには鍋焼きうどんさえ買ってくれた。ただ食い物ばかりではない。靴足袋（靴下）ももらった。鉛筆ももらった。帳面（ノート）ももらった。これはずっと後のことであるが金を三円ばかり貸してくれたことさえある。なにも貸せといったわけではない。向こうで部屋へ持ってきてお小遣いがなくてお困りでしょう、お使いなさいといってくれたんだ。おれは無論いらないといったが、ぜひ使えというから、借りておいた。じつはたいへん嬉しかった。その三円を蝦蟇口（さいふのこと）へ入れて、懐へ入れたなり便所へいったら、すぽりと後架（便所）の中へ落としてしまった。仕方がないから、のそのそ出てきてじつはこれこれだと清に話したところが、清はさっそく竹の棒を捜してきて、取ってあげますといった。しばらくすると井戸端でざあざあ音がするから、出てみたら竹の先へ蝦蟇口の紐を引きかけたのを水で洗っていた。それから口をあけて壱円札を改めたら茶色になって模様が消えかかっていた。清は火鉢で乾かして、これでいいでしょうと出した。ちょっとかいでみて臭いやといったら、それじゃお出

しなさい、取り換えてきてあげますからと、どこでどうごまかしたか札の代わりに銀貨を三円持ってきた。この三円はなにに使ったか忘れてしまった。今に返すよといったぎり、返さない。今となっては十倍にして返してやりたくても返せない。

清が物をくれるときには必ずおやじも兄もいないときに限る。おれはなにが嫌いだといって人に隠れて自分だけ得をするほど嫌いなことはない。兄とは無論仲がよくないけれども、兄に隠して清から菓子や色鉛筆をもらいたくはない。なぜ、おれ一人にくれて、兄さんにはやらないのかと清に聞くことがある。すると清は澄ましたものでお兄い様はお父様が買っておあげなさるから構いませんという。これは不公平である。おやじは頑固だけれども、そんな依怙贔負（一方だけ、かたをもつこと）はせぬ男だ。しかし清の眼から見るとそう見えるのだろう。まったく愛に溺れて（愛するあまり公平にものがみえなかった）いたにちがいない。元は身分のあるものでも教育のない婆さんだから仕方がない。単にこればかりではない。贔負目は恐ろしいものだ。清はおれを以って将来立身出世して立派なものになると思いこんでいた。そのくせ勉強をする兄は色ばかり白くって、とても役には立たないと一人できめてしまった。こんな婆さんに逢ってはかなわない。自分の好きなものは必ずえらい人物になって、嫌いなひとはきっと落ちぶれるものと信じている。おれはそのときから別段（とくに）なにになるという了見（考え）もなかった。しかし清

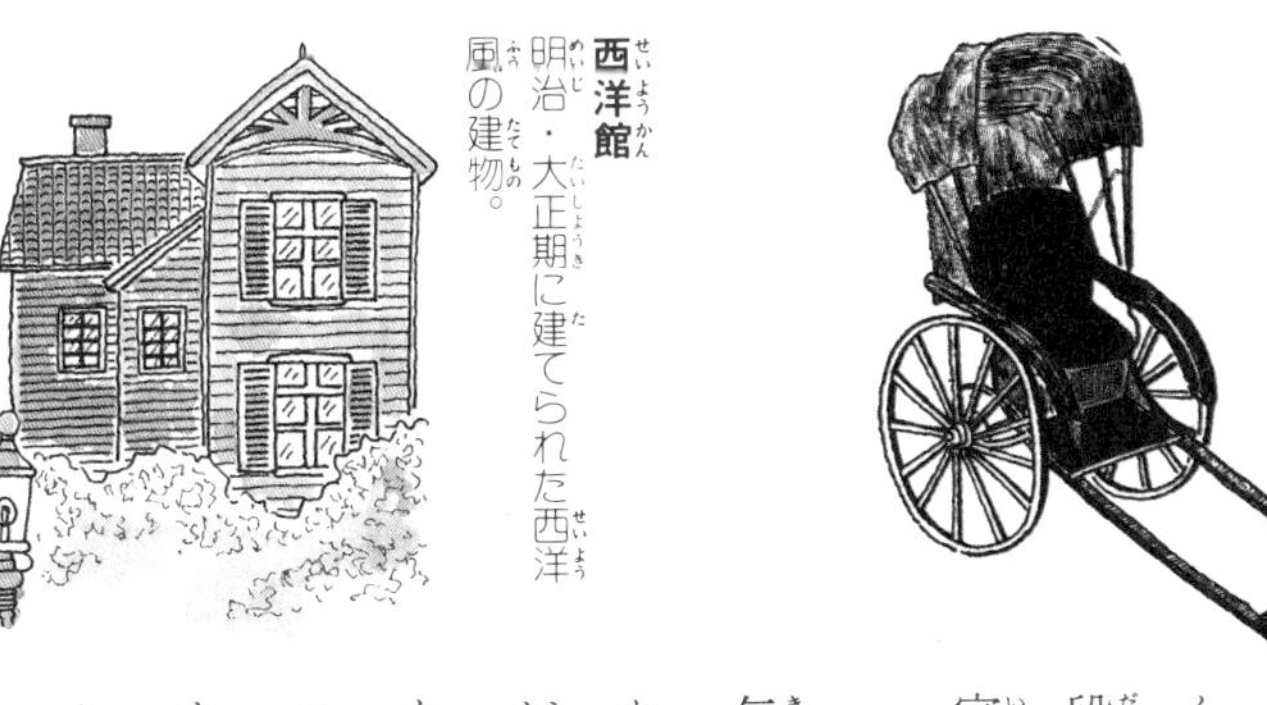

**手車** 自家用の人力車。

**西洋館** 明治・大正期に建てられた西洋風の建物。

がなるなるというものだから、やっぱりなにかになれるんだろうと思っていた。今から考えるとばかばかしい。あるときなどは清にどんなものになるだろうと聞いてみたことがある。ところが清にも別段の考えもなかったようだ。ただ*手車へ乗って、立派な玄関のある家をこしらえるに相違（まちがいない）ないといった。

それから清はおれがうちでも持って独立したら、いっしょになる気でいた。どうか置いてくださいと何べんも繰り返して頼んだ。おれもなんだかうちが持てるような気がして、うん置いてやると返事だけはしておいた。ところがこの女はなかなか想像の強い女で、あなたはどこがお好き、麴町ですか麻布（当時の東京の代表的な高級住宅地の例）ですか、お庭へぶらんこをおこしらえあそばせ、西洋間は一つでたくさんですなどと勝手な計画を独りで並べていた。そのときは家なんかほしくもなんともなかった、*西洋館も日本建てもまったく不用であったから、そんなものはほしくないと、いつでも清に答えた。すると、あなたは欲がすくな

くって、心が奇麗だといってまた賞めた。清はなんといっても賞めてくれる。

母が死んでから五、六年の間はこの状態で暮らしていた。おやじには叱られる。兄とは喧嘩をする。清には菓子をもらう、ときどき賞められる。別に望みもない、これでたくさんだと思っていた。ほかの小供も一概（だいたい）にこんなものだろうと思っていた。ただ清がなにかにつけて、あなたはお可哀想だ、不仕合わせだと無暗にいうものだから、それじゃ可哀想で不仕合わせなんだろうと思った。そのほかに苦になることは少しもなかった。ただおやじが小遣いをくれないには閉口した。

母が死んでから六年目の正月におやじも卒中（おもに脳出血のために、とつぜんたおれ、意識がなくなる）で亡くなった。その年の四月におれはある私立の中学校を卒業する。六月に兄は商業学校を卒業した。兄はなんとか会社の九州の支店に口（就職先があって）があってゆかなければならん。おれは東京でまだ学問をしなければならない。兄は家を売って財産を片付けて任地へ出立（出発する）するといいだした。おれはどうでもするがよかろうと返事をした。どうせ兄の厄介（世話）になる気はない。世話をしてくれるにしたところで、喧嘩をするから、向こうでもなんとかいいだすにきまっている。なまじい（なまじっか。よせばよいのに）保護を受ければこそ、こんな兄に頭を下げなければならない。牛乳配達をしても食ってられると覚悟をした。兄はそれから道具屋（古道具を売買する商人）を呼んできて、先祖代々の＊瓦落多（一九ページ）を二束三文（ひじょうに安いねだんで）に売った。家屋敷はある人の周旋（世話）である金満家（金持ち）に譲った。このほうはだいぶ金になったようだが、詳しいことはいっこう（まったく）知らぬ。おれは一ケ月以前から、しばらく前途の方向のつくまで（将来の計画がきまるまで）神田の小川町へ下宿していた。清は十何年いたうちが人手に渡るのを大いに残念がったが、自分のものでないから、しようがなかった。あなたがもう少し年をとっていらっしゃれば、ここが御相続ができますものをとしきりに口説いていた。もう少し年をとって相続ができるものなら、今でも相続ができるはずだ。婆さんはなんにも知らないから年さえとれば兄の家がもらえると信じている。

兄とおれは斯様に（このように）分かれたが、困ったのは清の行く先である。兄は無論（もちろんのこと）連れてゆける身分でなし、清も兄の尻にくっついて九州くんだりまで出かける気は毛頭（少しも）なし、といってこのときのおれは四畳半の安下宿に籠って、それすらもいざとなれば直ちに引き払わねばならぬ始末だ。どうすることもできん。清に聞いてみた。どこかへ奉公（他人の家につかえること）でもする気かねといったらあなたがおうちを持って、奥さまをおもらいになるまでは、仕方がないから、甥の厄介（世話）になりましょうとようやく決心した返事をした。この甥は*裁判所の書記でまず今日（いまの暮らし）には差し支えなく暮らしていたから、今までも清にくるならこいと二、三度勧めたのだが、清はたとい下女奉公はしても年来（長年）住み馴れた家のほうがいいといって応じなかった。しかし今の場合知らぬ屋敷へ奉公がえをしていらぬ気兼ねを仕直すより、甥の厄介になるほうがましだと思ったのだろう。それにしても早くうちを持ての、妻（つま）をもらえの、きて世話をするのという。親身の甥よりも他人のおれのほうが好きなのだろう。

九州へ立つ二日前兄が下宿へきて金を六百円出してこれを資本にして商売をするなり、学資にして勉強をするなり、どうでも随意（すきなように）に使うがいい、その代わりあとは構わないといった。兄にしては感心なやり方だ。なんの六百円ぐらいもらわんでも困りはせんと思ったが、例に似ぬ淡泊な処置（いつもらしくない、あっさりしたしまつ）が気に入ったから、礼をいってもらっておいた。兄はそれから五十円出してこれをついでに清に渡してくれといったから、異議なく引き受けた。二日たって*新橋の停車場で分かれたぎり兄にはその後一ぺんも逢わない。

おれは六百円の使用法について寝ながら考えた。商売をしたって面倒くさくってうまくできるものじゃなし、ことに六百円の金で商売らしい商売がやれるわけでもなかろう。よし（まんいち）やれるとしても、今

**瓦落多**（一七ページ）
ねうちのない雑多な道具類。

**裁判所の書記**
裁判記録やその他の文書を作ったり、さまざまな書類・記録を整理したりする職員。

**新橋の停車場**
一八七二（明治五）年、日本ではじめて新橋（いまの汐留）・横浜（いまの桜木町）間に鉄道が開通して以来、一九一二（大正一）年に東京駅へ高架線がのびるまで、新橋駅は東海道本線（一八八九年開通）の東の起点としてにぎわった。

のようじゃ人の前へ出て教育を受けたと威張れないからつまり損になるばかりだ。資本などはどうでもいいから、これを学資にして勉強してやろう。六百円を三に割って一年に二百円ずつ使えば三年間は勉強ができる。三年間一生懸命にやればなにかできる。それからどこの学校へはいろうと考えたが、学問は生来（生まれつき）どれもこれも好きでない。ことに語学とか文学とかいうものは真っ平御免だ。＊新体詩（二三ページ）などときては二十行あるうちで一行も分からない。どうせ嫌いなものならなにをやっても同じことだと思ったが、幸い物理学校（いまの東京理科大学）の前を通りかかったら生徒募集の広告が出ていたから、なにも縁だと思って規則書をもらってすぐ入学の手続きをしてしまった。今考えるとこれも親譲りの無鉄砲から起こった失策だ。

三年間まあ人並に勉強はしたが別段たちのいいほうでもないから、席順（成績順）はいつでも下から勘定するほうが便利であった。しかし不思議なもので、三年たったらとうとう卒業してしまった。自分でもおかしいと思ったが苦情をいうわけもないからおとなしく卒業しておいた。

卒業してから八日目に校長が呼びにきたから、なにか用だろうと思って、出かけていったら、四国辺（四国あたり）のある中学校で数学の教師がいる。月給は四十円だが、いってはどうだという相談である。おれは三年間学問はしたがじつをいうと教師になる気も、田舎へゆく考えもなにもなかった。

もっとも教師以外になにをしようというあてもなかったから、この相談を受けたとき、ゆきましょうと即席（すぐに）に返事をした。これも親譲りの無鉄砲がたたったのである。

引き受けた以上は赴任（命じられた勤務地へいくこと）せねばならぬ。この三年間は四畳半に蟄居（家にとじこもって）して小言はただの一度も聞いたことがない。喧嘩もせずに済んだ。おれの生涯のうちでは比較的呑気な時節であった。しかしこうなると四畳半も引き払わなければならん。生まれてから東京以外に踏み出したのは、同級生といっしょに鎌倉へ遠足したときばかりである。今度は鎌倉どころではない。たいへんな遠くへゆかねばならぬ。地図で見ると海浜で針の先ほど小さく見える。どうせ碌なところではあるまい。どんな町で、どんな人が住んでるか分からん。分からんでも困らない。心配にはならぬ。ただゆくばかりである。もっとも少々面倒くさい。

家を畳んで（家をしめてひきはらって）からも清のところへは折々（ときどき）いった。清の甥というのは存外結構（案外気立てのよい）な人である。おれがゆくたびに、おりさえすれば、なにくれと（いろいろと）もてなしてくれた。清はおれを前へ置いて、いろいろおれの自慢を甥に聞かせた。今に学校を卒業すると麹町辺へ屋敷を買って役所へ通うのだなどと吹聴（いいふらした）したこともある。独りできめて一人でしゃべるから、こっちは困って顔を赤くした。それも一度や二度ではない。折々おれが小さいとき寝小便をしたことまで持ち出すには閉口（こまった）した。甥はなんと思って清の自慢を聞いていたか分からぬ。ただ清は昔風の女だから、自分とおれの関係を封建時代の主従（主人と家来）のように考えていた。自分の主人なら甥のためにも主人に相違ないと合点（理解した）したものらしい。甥こそいい面の皮（いいめいわくだ）だ。

いよいよ約束がきまって、もう立つという三日前に清をたずねたら、北向きの三畳に風邪を引いて寝ていた。おれのきたのを見て起き直るが早いか、坊っちゃんいつ家をお持ちなさいますと聞いた。卒業さえすれば金が自然とポッケットの中に湧いてくると思っている。そんなにえらい人をつらまえて、まだ坊っちゃんと呼ぶのはいよいよ（ますます）ばかげている。おれは単簡（簡単に）に当分うちは持たない。田舎へゆくんだといったら、非常に失望した容子で、ごま塩の鬢（白髪のまじった、頭の左右の、耳の前に下がる髪）の乱れをしきりになでた。あまり気の毒だから「ゆくことはゆくがじき（すぐに）帰る。来年の夏休みにはきっと帰る」と慰めてやった。それでも妙な顔をしているから「なにをみやげに買ってきてやろう、なにがほしい」と聞いてみたら「越後の笹飴（葉の広い新潟特有の笹でくるんだ飴。江戸時代から有名）が食べたい」といった。越後の笹飴なんて聞いたこともない。第一方角がちがう。「おれのゆく田舎には笹飴はなさそうだ」といって聞かしたら「そんなら、どっちの見当です」と聞き返した。「西のほうだよ」というと「箱根のさきですか手前ですか」と問う。ずいぶん持てあました。

出立（出発）の日には朝からきて、いろいろ世話をやいた。くる途中小間物屋（化粧品や雑貨などを売る店）で買ってきた歯磨きと楊子と手拭いを*ズックの革鞄に入れてくれた。そんな物はいらないといってもなかなか承知しない。車を並べて停車場へ着いて、プラットフォームの上へ出たとき、車へ乗り込んだおれの顔をじっと見て「もうお別れになるかもしれません。ずいぶんごきげんよう（どうかお元気で）」と小さな声でいった。目に涙がいっぱいたまっている。おれは泣かなかった。しかしもう少しで泣くところであった。汽車がよっぽど動きだしてから、もう大丈夫だろうと思って、窓から首を出して、振り向いたら、やっぱり立っていた。なんだかたいへん小さく見えた。

## 二

ぶうといって汽船がとまると、*艀が岸を離れて、漕ぎ寄せてきた。船頭は真っ裸に赤ふんどしをしめている。野蛮なところだ。もっと

**新体詩**（二〇ページ）　明治のはじめに作られた、西洋の詩の形式と精神を取り入れた新しい詩の形式。漢詩に対してこうよばれた。

**ズック**　太い亜麻糸や綿糸で厚くじょうぶに織った布地。天幕・くつ・帆などに使われる。

**艀**　波止場と本船のあいだを往き来して、人や荷物をはこぶ小さな船。

もこの熱さでは着物はきられまい。日が強いので水がやに(いやに)光る。見つめていても眼がくらむ。事務員に聞いてみるとおれはここへ降りるのだそうだ。見るところでは大森(東京都大田区の一地区。のりの名産地だった)ぐらいな漁村だ。人を馬鹿にしていらあ、こんなところに我慢ができるものかと思ったが仕方がない。威勢よく一番に飛び込んだ。続いて五、六人は乗ったろう。ほかに大きな箱を四つばかり積み込んで赤ふんは岸へ漕ぎもどしてきた。陸へ着いたときも、いの一番に飛びあがって、いきなり、磯に立っていた鼻たれ小僧をつらまえて中学校はどこだと聞いた。小僧はぼんやりして、知らんがの、といった。気の利かぬ田舎ものだ。猫の額ほどな町内のくせに、中学校のありか(ある場所)も知らぬ奴があるものか。ところへ妙な筒っぽう*(二七ページ)を着た男がきて、こっちへこいというから、尾いていったら、港屋とかいう宿屋へ連れてきた。やな(いやな)女が声を揃えてお上がりなさいというので、上がるのがいやになった。門口へ立ったなり(立つとすぐに)中学校を教えろといったら、中学校はこれから汽車で二里(やく八キロ)ばかりゆかなくっちゃいけないと聞いて、なお上がるのがいやになった。おれは、筒っぽうを着た男から、おれの革鞄を二つ引きたくって、のそのそあるきだした。宿屋のものは変な顔をしていた。

停車場はすぐ知れた。切符もわけなく買った。乗り込んでみるとマッチ箱のような汽車だ。ごろごろと五分ばかり動いたと思ったら、もう降りなければならない。道理で切符が安いと思った。

たった三銭である。それから車を雇って、中学校へきたら、もう放課後でだれもいない。宿直はちょっと用達に出たと小使が教えた。ずいぶん気楽な宿直がいるものだ。校長でもたずねようかと思ったが、くたびれたから、車に乗って宿屋へ連れてゆけと車夫（人力車をひく人）にいいつけた。車夫は威勢よく山城屋というちへ横付けにした。山城屋とは質屋の勘太郎の屋号（商店の名）と同じだからちょっと面白く思った。

なんだか二階の梯子段の下の暗い部屋へ案内した。熱くっていられやしない。こんな部屋はいやだといったらあいにくみんな塞がっておりますからといいながら革鞄をほうり出したまま出ていった。仕方がないから部屋の中へはいって汗をかいて我慢していた。やがて湯にはいれというから、ざぶりと飛び込んで、すぐ上がった。帰りがけに覗いてみると涼しそうな部屋がたくさん空いている。失敬な（失礼な）奴だ。嘘をつきゃあがった。それから下女が膳（食卓。食器をのせて出す台）を持ってきた。部屋は熱かったが、飯は下宿のよりもだいぶうまかった。給仕をしながら下女がどちらからおいでになりましたと聞くから、東京からきたと答えた。すると東京はよいところでございましょうといったから当たり前だと答えてやった。膳を下げた下女が台所へいった時分、大きな笑い声が聞こえた。くだらないから、すぐ寝たが、なかなか寝られない。熱いばかりではない。騒々しい。下宿の五倍ぐらいやかましい。うとうとしたら清の夢を見た。清が越後の笹飴を笹ぐるみ、むしゃむしゃ食っている。笹は毒だから、よしたらよかろうというと、いえこの笹がお薬でございますといってうまそうに食っている。おれがあきれ返って大きな口を開いてハハハハと笑ったら眼が覚めた。下女が雨戸をあけている。相変わらず空の底が突き抜けたような天気だ。

道中をしたら茶代をやるものだと聞いていた。茶代をやらないと粗末に取り扱われると聞いていた。こんな、狭くて暗い部屋へ押し込めるのも茶代をやらないせいだろう。見すぼらしい服装をして、ズックの革鞄と毛繻子の蝙蝠傘を提げてるからだろう。田舎者のくせに人を見くびったな。一番茶代をやって驚かしてやろう。おれはこれでも学資の余りを三十円ほど懐に入れて東京を出てきたのだ。汽車と汽船の切符代と雑費を差し引いて、まだ十四円ほどある。みんなやったってこれからは月給をもらうんだから構わない。田舎者はしみったれだから五円もやれば驚いて眼を回すにきまっている。どうするか見ろとすまして顔を洗って、部屋へ帰って待ってると、ゆうべの下女が膳を持ってきた。盆を持って給仕をしながら、やににやにや笑ってる。失敬な奴だ。顔のなかをお祭りでも通りゃしまいし。これでもこの下女の面よりよっぽど上等だ。飯を済ましてからにしようと思っていたが、癪にさわったから、中途で五円札を一枚出して、あとでこれを帳場（勘定をする場所。三七ページ）へ持ってゆけといったら、下女は変な顔をしていた。それから飯を済ましてすぐ学校へ出かけた。靴は磨いてなかった。

学校はきのう車で乗りつけたから、大概の見当は分かっている。四つ角を二、三度曲がったらすぐ門の前へ出た。門から玄関までは御影石（花崗岩。兵庫県御影地方が産地として有名）で敷きつめてある。きのうこの敷石の上を車でがらがらと通ったときは、無暗にぎょうさんな（おおげさな）音がするので少し弱った。途中から*小倉の制服を着た生徒にたくさん逢ったが、みんなこの門をはいってゆく。中にはおれより背が高くって強そうなのがいる。あんな奴を教えるのかと思ったらなんだか気味が悪くなった。名刺を出したら校長室へ通した。校長は薄髯のある、色の黒い、眼の大きな狸のような男である。やにもったいぶっていた。まあ精出して勉強してくれといって、うやうやしく大きな印の捺った（おされた）辞令を渡した。この辞令（官職の任免のときに、その内容を書いて本人にわたす文書）は東京へ帰るとき丸めて海の中へほうり込んでしまった。校長は今に職員に紹介してやるから、一々その人にこの辞令を見せ

**筒っぽう**（二四ページ）
たもとのない筒のようなそでの着物。子どもの着物または仕事着として多くもちいられた。

**毛繻子の蝙蝠傘**
綿と毛で織った光沢のある布をはった傘。

**小倉の制服**
小倉（北九州市）で多く作られた、綿の太糸で厚く、しもふりもように織った布地でできた学生服。

るんだといって聞かした。よけいな手数だ。そんな面倒なことをするよりこの辞令を三日間教員室へ張り付けるほうがましだ。

教員が控え所へ揃うには一時間目の喇叭が鳴らなくてはならぬ。だいぶ時間がある。校長は時計を出してみて、追い追い（だんだんに、ゆっくりと）ゆるりと話すつもりだが、まず大体のことを呑み込んでおいてもらおうといって、それから教育の精神について長いお談義（説教）を聞かした。おれは無論いい加減に聞いていたが、途中からこれは飛んだところへきたと思った。校長のいうようにはとてもできない。おれみたような（おれみたいな）無鉄砲なものをつらまえて、生徒の模範になれの、一校の師表（手本となる人）と仰がれなくてはいかんの、学問以外に個人の徳化を及ぼさなくては（道徳上よい影響をあたえなくては）教育者になれないの、と無暗に法外な（とてつもない）注文をする。そんなえらい人が月給四十円ではるばるこんな田舎へくるもんか。人間は大概似たもんだ。腹が立てば喧嘩の一つぐらいはだれでもするだろうと思ってたが、この様子じゃめったに口もきけない、散歩もできない。そんなむずかしい役なら雇う前にこれこれだと話すがいい。おれは嘘をつくのが嫌いだから、仕方がない、だまされてきたのだとあきらめて、思いきりよく、ここで断って帰っちまおうと思った。宿屋へ五円やったから財布の中には九円なにがし（九円あまり）しかない。九円じゃ東京までは帰れない。茶代なんかやらなければよかった。惜しいことをした。しかし九円だって、どうかならないことはない。旅費は足りなくっても嘘をつくよりましだと思って、到底あなたのおっしゃるとおりにゃ、できません、この辞令は返しますといったら、校長は狸のような眼をぱちつかせておれの顔を見ていた。やがて、今のはただ希望である、あなたが希望どおりできないのはよく知っているから心配しなくってもいいといいながら笑った。そのくらいよく知ってるなら、始めからおどかさなければいいのに。

そう、こうする内に喇叭が鳴った。教場（教室）のほうがきゅうにがやがやする。もう教員も控え所へ揃いましたろうというから、校長に尾いて教員控え所（職員室）へはいった。広い細長い部屋の周囲に机を並べてみんな腰をかけている。おれがはいったのを見て、みんな申し合わせたようにおれの顔を見た。見世物じゃあるまいし。それから申し付けられたとおり一人一人の前へいって辞令を出して挨拶をした。大概は椅子を離れて腰をかがめるばかりであったが、念の入ったのは差し出した辞令を受け取って一応拝見をしてそれをうやうやしく返却した。まるで宮芝居（神社のお祭りで演じられる芝居）のまねだ。十五人目に体操の教師へと回ってきたときには、同じことをなんべんもやるので少々じれったくなった。向こうは一度で済む、こっちは同じ所作（動作）を十五へん繰り返している。少しはひとの了見（思い）も察してみるがいい。

挨拶をしたうちに教頭のなにがしというのがいた。これは文学士だそうだ。文学士といえば大学の卒業生だからえらい人なんだろう。妙に女のような優しい声を出す人だった。もっとも驚いたのはこの暑いのにフランネル(おもに羊毛で織った、やわらかい布。ネル)のシャツを着ている。いくらか薄い地には相違なくっても暑いにはきまってる。文学士だけに御苦労千万な服装をしたもんだ。しかもそれが赤シャツだから人を馬鹿にしている。あとから聞いたらこの男は年が年中(一年じゅうずっと)赤シャツを着るんだそうだ。妙な病気があったものだ。当人の説明では赤は身体に薬になるから、衛生のためにわざわざ誂え(注文して作らせる)るんだそうだが、いらざる心配だ。そんならついでに着物も袴も赤にすればいい。それから英語の教師に古賀とかいうたいへん顔色の悪い男がいた。大概顔の蒼い人はやせてるもんだがこの男は蒼くふくれている。昔小学校へゆく時分、浅井の民さんという子が同級生にあったが、この浅井のおやじがやはり、こんな色つやだった。浅井は百姓だから、百姓になるとあんな顔になるかと清に聞いてみたら、そうじゃありません、あの人はうらなりの唐茄子(つるの先になった、そだちのわるいかぼちゃ)ばかり食べるから、蒼くふくれるんですと教えてくれた。それ以来蒼くふくれた人を見れば必ずうらなりの唐茄子を食った酬い(結果)だと思う。この英語の教師もうらなりばかり食ってるにちがいない。もっともうらなりとはなんのことか今もって知らない。清に聞いてみたことはあるが、清は笑って答えなかった。おおかた清も知らないんだろう。それからおれと同じ数学の教師に堀田というのがいた。これはたくましい*毬栗坊主で、*叡山の悪僧というべき面構えである。人が叮嚀に辞令を見せたら見向きもせず、やあ君が新任の人か、ちと遊びにきたまえアハハハといった。なにがアハハハだ。そんな礼儀を心得ぬ奴のところへだれが遊びにゆくものか。おれはこのときからこの坊主に山嵐という渾名をつけてやった。漢学（漢文）の先生はさすがに堅いものだ。昨日お着きで、さぞお疲れで、それでもう授業をお始めで、だいぶ御励精で、（御精が出ますね）——とのべつ（たえまなく）に弁じたのは愛嬌のあるおじいさんだ。画学（図画・美術）の教師はまったく芸人風だ。べらべらした透綾（うすい絹織物）の羽織を着て、扇子をぱちつかせて、お国はどちらで*げす、え？　東京？　そりゃうれしい、お仲間ができて……わたしもこれで江戸っ子ですといった。こんなのが江戸っ子なら江戸には生まれたくないもんだと心中に考えた。そのほか一人一人についてこんなことを書けばいくらでもある。しかし際限（きりがない）がないからやめる。

**毬栗坊主**　栗のいがのような、髪を五分刈り以下に短く刈った頭。

**叡山の悪僧**　京都比叡山延暦寺にいた僧兵たち。乱暴で知られていた。

**げす**　「ございます」のすこしくだけた言い方。漱石はふざけて使っている。

挨拶が一通り済んだら、校長がきょうはもう引き取って（帰っても）もいい、もっとも授業上のことは数学の主任と打ち合わせをしておいて、明後日から課業（わりあてられた仕事）を始めてくれといった。数学の主任はだれかと聞いてみたら例の山嵐であった。忌々しい（しゃくにさわる）、こいつの下に働くのかおやおやと失望した。山嵐は「おい君どこに宿ってるか、山城屋か、うん、今にいって相談する」といいのこして白墨を持って教場へ出ていった。主任のくせに向こうからきて相談するなんて不見識（軽はずみ）な男だ。しかし呼び付けるよりは感心だ。

それから学校の門を出て、すぐ宿へ帰ろうと思ったが、帰ったって仕方がないから、少し町を散歩してやろうと思って、無暗に足の向くほうをあるき散らした。県庁も見た。古い前世紀の建築である。兵営（兵隊の住む建物）も見た。麻布の連隊より立派でない。大通りも見た。神楽坂（当時、東京でも有名なにぎやかな町）を半分に狭くしたぐらいな道幅で町並みはあれより落ちる。二十五万石の城下だって高の知れた（たいしたことはない）ものだ。こんなところに住んで御城下だなどと威張ってる人間は可哀想なものだと考えながらくると、いつしか山城屋の前に出た。広いようでも狭いものだ。これでたいていは見尽くしたのだろう。帰って飯でも食おうと門口（入り口）をはいった。＊帳場（三七ページ）にすわっていたかみさんが、おれの顔を見るときゅうに飛び出してきてお帰り……と板の間へ頭をつけた。靴を脱いで上がると、お座敷があきましたからと下女が二階へ案内をした。十五畳の表二階（表に面した二階）で大きな床の間がついている。おれは生まれてからまだこんな立派な座敷へはいったことはない。この後いつはいれるか分からないから、洋服を脱いで浴衣一枚になって座敷の真ん中へ大の字に寝てみた。いい心持ちである。

昼飯を食ってからさっそく清へ手紙をかいてやった。おれは文章がまずい上に字を知らないから手紙をかくのが大嫌いだ。またやるところもない。しかし清は心配しているだろう。難船（あらしなどで船がしずむこと）して死にやしないかなどと思っちゃ困るから、奮発（思いきって）して長いのを書いてやった。その文句はこうである。

「きのう着いた。つまらんところだ。十五畳の座敷に寝ている。宿屋へ茶代を五円やった。かみさんが頭を板の間へすりつけた。ゆうべは寝られなかった。清が笹飴を笹ごと食う夢を見た。来年の夏は帰る。きょう学校へいってみんなにあだなをつけてやった。校長は狸、教頭は赤シャツ、英語の教師はうらなり、数学は山嵐、画学はのだいこ（たいこもちを悪くいうことば）。今にいろいろなことをかいてやる。さようなら」

手紙をかいてしまったら、いい心持ちになって眠気がさしたから、最前（さっきのように）のように座敷の真ん中へのびのびと大の字に寝た。今度は夢もなにも見ないでぐっすり寝た。この部屋かいと大きな声がするので眼が覚めたら、山嵐がはいってきた。最前は失敬、君の受け持ちは……と人が起きあがるや否や談判(話し合い)を開かれたので大いに狼狽(あわてた)した。受け持ちを聞いてみると別段むずかしいこともなさそうだから承知した。このくらいのことなら、あさってはおろか、あしたから始めろといったって驚かない。授業上の打ち合わせが済んだら、君はいつまでこんな宿屋にいるつもりでもあるまい、僕がいい下宿を周旋(世話)してやるから移りたまえ。ほかのものでは承知しないが僕が話せばすぐできる。早いほうがいいから、きょう見て、あす移って、あさってから学校へゆけばきまりがいいと一人で呑み込んでいる。なるほど十五畳敷きにいつまでいるわけにもゆくまい。月給をみんな宿料に払っても追っつかないかもしれぬ。五円の茶代を奮発してすぐ移るのはちと残念だが、どうせ移るものなら、早く引き越して落ち付くほうが便利だから、そこのところはよろしく山嵐に頼むことにした。すると山嵐はともかくもいっしょにきて見ろというから、いった。町はずれの岡の中腹にある家でしごく閑静(ひっそりしている)だ。主人は骨董を売買するいか銀という男で、女房は亭主よりも四つばかり年かさ(年上)の女だ。中学校にいたときウィッチ(魔女)という言葉を習ったことがあるがこの女房はまさにウィッチに似ている。ウィッチだって人の女房だから構わない。とうとうあしたから引き移ることにした。帰りに山嵐は通町で氷水を一杯おごった。学校で逢ったときはやに

横風(おうへいな)な失敬な奴だと思ったが、こんなにいろいろ世話をしてくれるところをみると、わるい男でもなさそうだ。ただおれと同じようにせっかちで肝癪持(おこりっぽい性質)ちらしい。あとで聞いたらこの男がいちばん生徒に人望があるのだそうだ。

三

いよいよ学校へ出た。初めて教場へはいって高いところへ乗ったときは、なんだか変だった。講釈(講義・授業)をしながら、おれでも先生が勤まるのかと思った。生徒はやかましい。ときどき図抜(なみはずれた)けた大きな声で先生という。先生には応えた。今まで物理学校で毎日先生先生と呼びつけていたが、先生と呼ぶのと、呼ばれるのは雲泥の差(たいへんなちがい)だ。なんだか足の裏がむずむずする。おれは卑怯な人間ではない、臆病な男でもないが、惜しいことに胆力(びくともしない気力)が欠けている。先生と大きな声をされると、腹の減ったときに丸の内で午砲(正午を知らせるために打った空砲)を聞いたような気がする。最初の一時間はなんだかいい加減にやってしまった。しかし別段困った質問も掛けられずに済んだ。控え所へ帰ってきたら、山嵐がどうだいと聞いた。うんと単簡に返事をしたら山嵐は安心したらしかった。

二時間目に白墨を持って控え所を出たときにはなんだか敵地へ乗り込むような気がした。教

**帳場**（二七ページ）商店や旅館などで、金銭を出し入れしたり、それを帳面につけておく場所。勘定場。

**な、もし** 「ねえ」の方言。宮城県・新潟県・愛媛県の一部で使われている。

場へ出ると今度の組は前より大きな奴ばかりである。おれは江戸っ子で華奢（ほっそりして上品に）に小作りにできているから、どうも高い所へ上がっても押しが利かない。喧嘩なら相撲取りとでもやってみせるが、こんな大僧を四十人も前へ並べて、ただ一枚の舌をたたいて恐縮させる手際はない。しかしこんな田舎者に弱身を見せると癖になると思ったから、なるべく大きな声をして、少々巻き舌で講釈してやった。最初のうちは、生徒も烟に巻かれて（とまどって）ぼんやりしていたから、それ見ろとますます得意になって、べらんめい調（東京の下町で使われたあらっぽいことばづかい）を用いていたら、いちばん前の列の真ん中にいた、いちばん強そうな奴が、いきなり起立して先生という。そらきたと思いながら、なんだと聞いたら、「あまり早くて分からんけれ、もちっと、ゆるゆる（ゆっくり）やって、おくれんかな、＊もし」といった。おくれんかな、もしは生ぬるい言葉だ。早すぎるなら、ゆっくりいってやるが、おれは江戸っ子だから君らの言葉は使えない、分からなければ、分かるまで待ってるがいいと答えてやった。この

調子で二時間目は思ったより、うまくいった。ただ帰りがけに生徒の一人がちょっとこの問題を解釈（解き方を教えて）をしておくれんかな、もし、とできそうもない幾何の問題を持って迫ったには冷や汗を流した。仕方がないからなんだか分からない、この次教えてやると急いで引き揚げたら、生徒がわあと囃した。その中にできんできんという声が聞こえる。べらぼうめ、先生だって、できないのは当たり前だ。できないのをできないというのに不思議があるもんか。そんなものができるくらいなら四十円でこんな田舎へくるもんかと控え所へ帰ってきた。今度はどうだとまた山嵐が聞いた。うんといったが、うんだけでは気が済まなかったから、この学校の生徒は分からずやだなといってやった。山嵐は妙な顔をしていた。

三時間目も、四時間目も昼過ぎの一時間も大同小異（ほぼ同じこと）であった。最初の日に出た級（クラス）は、いずれも少々ずつ失敗した。教師ははたで見るほど楽じゃないと思った。授業はひと通り済んだが、まだ帰れない、三時までぽつ然（ひとりだけでいる）として待ってなくてはならん。三時になると、受け持ち級の生徒が自分の教室を掃除して報知にくるから検分（立ち会って検査する）をするんだそうだ。それから、出席簿を一応調べてようやくお暇が出る。いくら月給で買われた身体だって、あいた時間まで学校へ縛りつけて机とにらめっくらをさせるなんて法があるものか。しかしほかの連中はみんなおとなしく御規則どおりやってるから新参(新入り)のおればかり、だだをこねる(すねる。わがままをいう)のもよろしくないと思って我慢していた。帰りがけに、君なんでもかんでも三時過ぎまで学校にいさせるのは愚だぜと山嵐に訴えたら、山嵐はそうさアハハハと笑ったが、あとから真面目になって、君あまり学校の不平をいうと、いかんぜ。いうなら僕だけに話せ、ずいぶん妙な人もいるからなと忠告がましいことをいった。四つ角で分かれたから詳しいことは聞くひまがなかった。

それからうちへ帰ってくると、宿の亭主(主人)がお茶を入れましょうといってやってくる。お茶を入れるというから御馳走をするのかと思うと、おれの茶を遠慮なく入れて自分が飲むのだ。この様子では留守中も勝手にお茶を入れましょうを一人で履行(実行している)しているかもしれない。亭主がいうには手前は書画骨董(書や絵など美術的価値のある古道具)がすきで、とうとうこんな商売を内々で始めるようになりました。あなたもお見受け申すところだいぶ御風流でいらっしゃるらしい。ちと道楽にお始めなすってはいかがですと、とんでもない勧誘をやる。二年前ある人の使いに帝国ホテルへいったときは錠前直し(鍵の修理屋)と間違えられたことがある。ケット(毛布)をかぶって、鎌倉の大仏を見物したときは車屋から親方といわれた。そのほか今日まで見そくなわれた(見そこなわれた)ことはずいぶんあるが、まだおれをつらまえてだいぶ御風流でいらっしゃるといったものはない。たいていはなりや様子でも分かる。風流人なんていうものは、画を見ても、頭巾をかぶるか短冊を持ってるもの（和歌や俳句をこのむ人のことをいう）だ。このおれを風流人だなどと真面目にいうのはただの曲者（変人）じゃない。おれはそんな呑気な隠居（家の責任をゆずり、しずかにくらす人）のやるようなことは嫌いだといったら、亭主はへへへへと笑いながら、いえ始めから好きなものは、どなたもございませんが、いったんこの道にはいるとなかなか出られませんと一人で茶を注いで妙な手付きをして飲んでいる。じつはゆうべ茶を買ってくれと頼んでおいたのだが、こんな苦い濃い茶はいやだ。一杯飲むと胃に答える（胃にわるい）ような気がする。今度からもっと苦くないのを買ってくれといったら、かしこまりましたとまた一杯しぼって飲んだ。人の茶だと思って無暗に飲む奴だ。主人が引き下がってから、あしたの下読み（予習）をしてすぐ寝てしまった。

それから毎日毎日学校へ出ては規則どおり働く、毎日毎日帰ってくると主人がお茶を入れましょうと出てくる。一週間ばかりしたら学校の様子もひと通りは飲み込めたし、宿の夫婦の人物も大概は分かった。ほかの教師に聞いてみると辞令を受けて一週間から一ケ月ぐらいの間は自分の評判がいいだろうか、悪いだろうか非常に気にかかるそうであるが、おれはいっこう（まったく）そんな感じはなかった。教場で折々しくじる（失敗する）とそのときだけはやな心持ちだが三十分ばかりたつと奇麗に消えてしまう。おれは何事によらず長く心配しようと思っても心配ができない男だ。教場のしくじりが生徒にどんな影響を与えて、その影響が校長や教頭にどんな反応を呈するかまるで無頓着(気にかけない)であった。おれは前にいうとおりあまり度胸のすわった男ではないのだが、思い切りはすこぶる(ひじょうに)いい人間である。この学校がいけなければすぐどっかへゆく覚悟でいたから、狸も赤シャツも、ちっとも恐ろしくはなかった。まして教場の小僧どもなんかには愛嬌もお世辞も使う気になれなかった。学校はそれでいいのだが下宿のほうはそうはいかなかった。亭主が茶を飲みにくるだけなら我慢もするが、いろいろなものを持ってくる。始めに持ってきたのはなんでも印材(彫刻して印章とする材料)で、十ばかり並べておいて、みんなで三円なら安いものだお買いなさいという。田舎回りのヘボ絵師じゃあるまいし、そんなものはいらないといったら、今度は華山とかなんとかいう男の花鳥の掛け物をもってきた。自分で床の間へかけて、いい出来じゃありませんかというから、そうかなといい加減に挨拶をすると、＊華山(四四ページ)には二人ある、一人はなんとか華山で、一人はなんとか華山ですが、この幅(掛け物。または掛け物を数えることば)はそのなんとか華山のほうだと、くだらない講釈をしたあとで、どうです、あなたなら十五円にしておきます。お買いなさいと催促をする。金がないと断ると、金なんか、いつでもようございますとなかなか頑固だ。金があっても買わないんだと、そのときは追っ払っちまった。その次には＊鬼瓦(四四ページ)ぐらいな大硯を担ぎ込んだ。これは＊端渓です、＊端渓(四四ページ)ですと二へんも三べんも端渓が

**華山には二人ある**（四三ページ）
渡辺崋山（一七九三〜一八四一）。とくに人物画に秀でた。
横山華山（一七八四〜一八三七）。京都の画家。

渡辺崋山の描いた「鷹見泉石像」（東京国立博物館所蔵）

**端渓**（四三ページ）
中国広東省からとれる石で、硯石として有名。墨の出ぐあいがよくて、石の変化が美しい。

**鬼瓦**（四三ページ）
屋根のもっとも高いところの両はしに置く大きな瓦。鬼の顔をしたものや雲をかたどったものなどがある。

**眼**
硯石の表面にあるまるい目のようなもよう。この数が多いほど高級品とされる。

**発墨**
硯の上での墨の出ぐあい。

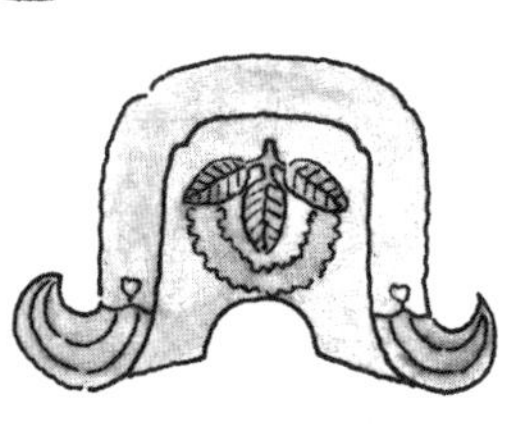

るから、面白半分に端渓た(とは)なんだいと聞いたら、すぐ講釈を始めだした。端渓には上層　中層　下層とあって、今時のものはみんな上層ですが、これはたしかに中層です、この*眼を御覧なさい。眼が三つあるのは珍しい。*発墨の具合も至極(このうえなく)よろしい、ためして御覧なさいと、おれの前へ大きな硯を突きつける。いくらだと聞くと、持ち主が支那(中国)から持って帰ってきてぜひ売りたいといいますから、お安くして三十円にしておきましょうという。この男は馬鹿に相違ない。学校のほうはどうかこうか無事に勤まりそうだが、こう骨董責めに逢ってはとても長く続きそうにない。

そのうち学校もいやになった。ある日の晩大町というところを散歩していたら郵便局の隣に蕎麦とかいて、下に東京と注を加えた看板があった。おれは蕎麦が大好きである。東京におったときでも蕎麦屋の前を通って薬味の香をかぐと、どうしても*暖簾(四七ページ)がくぐりたくなった。きょうまでは数学と骨董で蕎麦を忘れていたが、こうして看板を見ると素通りができなくなる。ついでだから一杯食ってゆこうと思って上がり込んだ。見ると看板ほどでもない。東京と断る以上はもう少し奇麗にしそうなものだが、東京を知らないのか、金がないのか、滅法(ひじょうに)きたない。畳は色が変わっておまけに砂でざらざらしている。壁は煤で真っ黒だ。天井はランプの油煙で燻ぼって(すすけている)るのみか、低くって、思わず首を縮めるくらいだ。ただ麗々(わざと目立つように)と蕎麦の名前をかいて張り付けたねだん付けだけはまったく新しい。なんでも古いうちを買って二、三日前から開業したにちがいなかろう。ねだん付け（品書き。品物とねだんを書いたもの）の第一号に天麩羅とある。おい天麩羅を持ってこいと大きな声を出した。するとこのときまで隅のほうに三人かたまって、なにかつるつる、ちゅちゅ食ってた連中が、ひとしく（みんな、一様に）おれのほうを見た。部屋が暗いので、ちょっと気がつかなかったが顔を合わせると、みんな学校の生徒である。先方で挨拶をしたから、おれも挨拶をした。その晩は久しぶりに蕎麦を食ったので、うまかったから天麩羅を四杯平らげた。

翌日なんの気もなく教場へはいると、黒板いっぱいぐらいな大きな字で、天麩羅先生とかいてある。おれの顔を見てみんなわあと笑った。おれはばかばかしいから、天麩羅を食っちゃおかしいかと聞いた。すると生徒の一人が、しかし四杯は過ぎるぞな、もし、といった。四杯食おうが五杯食おうがおれの銭でおれが食うのに文句があるもんかと、さっさと講義を済まして控え所へ帰ってきた。十分たって次の教場へ出ると一つ天麩羅四杯也。ただし笑うべからず。と黒板にかいてある。さっきは別に腹も立たなかったが今度は癪にさわった。冗談も度を過ごせばいたずらだ。焼き餅の黒焦げのようなものでだれも賞め手はない。田舎者はこの呼吸が分からないからどこまで押していっても構わないという了見だろう。一時間あるくと見物する町もないような狭い

**暖簾**（四五ページ）
商店の軒先や出入口に、日よけのために屋号などをそめてたらしてある布。

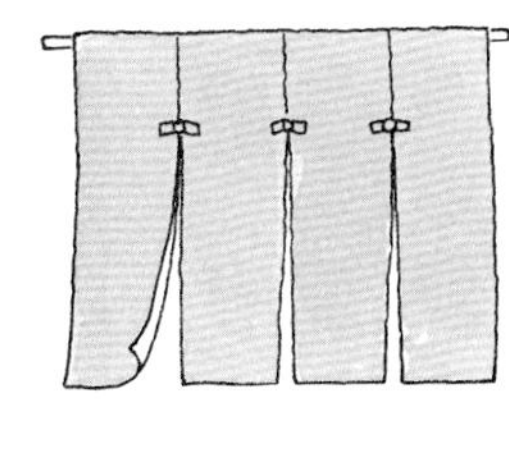

**日露戦争**
一九〇四年〜一九〇五年、ロシアと日本とのあいだの戦争。勝利を得た日本は、いちやく世界の注目をあびた。

都に住んで、ほかになんにも芸がないから、天麩羅事件を＊日露戦争のように触れちらかすんだろう。憐れな奴らだ。小供のときから、こんなに教育されるから、いやにひねっこびた、植木鉢の楓みたような小人ができるんだ。無邪気ならいっしょに笑ってもいいが、こりゃなんだ。小供のくせに乙に毒気を持ってる。おれはだまって、天麩羅を消して、こんないたずらが面白いか、卑怯な冗談だ。君らは卑怯という意味を知ってるか、といったら、自分がしたことを笑われて怒るのが卑怯じゃろうがな、もしと答えた奴がある。やな奴だ。わざわざ東京から、こんな奴を教えにきたのかと思ったら情けなくなった。よけいな減らず口を利かないで勉強しろといって、授業を始めてしまった。それから次の教場へ出たら天麩羅を食うと減らず口が利きたくなるものなりと書いてある。どうも始末におえない。あんまり腹が立ったから、そんな生意気な奴は教えないといってすたすた帰ってきてやった。生徒は休みになって喜んだそうだ。

こうなると学校より骨董のほうがまだましだ。

天麩羅蕎麦もうちへ帰って、一晩寝たらそんなに肝癪にさわらなくなった（気にならなくなった）。学校へ出てみると、生徒も出ている。なんだかわけが分からない。それから三日ばかりは無事であったが、四日目の晩に住田というところへいって団子を食った。この住田というところは温泉のある町で城下から汽車だと十分ばかり、歩いて三十分でゆかれる、料理屋も温泉宿も、公園もあるうえに遊廓がある。おれのはいった団子屋は遊廓（遊女屋をあつめた区域）の入り口にあって、たいへんうまいという評判だから、温泉にいった帰りがけにちょっと食ってみた。今度は生徒にも逢わなかったから、だれも知るまいと思って、翌日学校へいって、一時間目の教場へはいると団子二皿七銭と書いてある。実際おれは二皿食って七銭払った。どうも厄介な奴らだ。二時間目にもきっとなにかあると思うと遊廓の団子うまいうまいと書いてある。あきれ返った奴らだ。団子がそれで済んだと思ったら今度は赤手拭いというのが評判になった。なんのことだと思ったら、つまらない来歴（ものごとのいわれ）だ。おれはここへきてから、毎日住田の温泉へゆくことにきめている。ほかのところはなにを見ても東京の足もとにも及ばないが温泉だけは立派なものだ。せっかくきたものだから毎日はいってやろうという気で、晩飯前に運動かたがた出かける。ところがゆくときは必ず西洋手拭い（タオル）の大きな奴をぶらさげてゆく。この手拭いが湯に染まったうえへ、赤い縞が流れ出したのでちょっと見ると紅色に見える。おれはこの手拭いをゆきも帰りも、汽車に乗ってもあるいても、常にぶらさげている。それで生徒がおれのことを赤手拭い赤手拭いというんだそうだ。どうも狭い土地に住んでるとうるさいものだ。まだある。温泉は三階の新築で上等は浴衣をかして、流し（あかをおとす人をたのんで）をつけて八銭で済む。そのうえに女が*天目（五一ページ）へ茶を載せて出す。おれはいつでも上等へはいった。すると四十円の月給で毎日上等へはいるのはぜいたくだといいだした。よけいなお世話だ。まだある。湯壺は花崗石を畳み上げて、十五畳敷きぐらいの広さに仕切ってある。たいていは十三、四人つかってるがたまにはだれもいないことがある。深さは立って乳の辺まであるから、運動のために、湯の中を泳ぐのはなかなか愉快だ。おれは人のいないのを見すましては十五畳の湯壺を泳ぎまわって喜んでいた。ところがある日三階から威勢よく下りてきょうも泳げるかなとざくろ口（むかしのふろやの湯ぶねの入り口）をのぞいてみると、大きな札へ黒々と湯の中で泳ぐべからずとかいて貼りつけてある。湯の中で泳ぐものは、あまりあるまいから、この貼り札はおれのために特別に新調（新しく作った）したのかもしれない。おれはそれから泳ぐのは断念した。泳ぐのは断念（あきらめた）したが、学校へ出てみると、例のとおり黒板に湯の中で泳ぐべからずと書いてあるには驚いた。なんだか生徒全体がおれ一人を探偵しているように思われた。くさくさした。生徒がなにをいったって、やろうと思ったことをやめるようなおれではないが、なんでこんな狭苦しい鼻の先がつかえるようなところへきたのかと思うと情けなくなった。それでうちへ帰ると相変わらず骨董責めである。

## 四

学校には宿直があって、職員が代わる代わるこれをつとめる。ただし狸と赤シャツは例外である。なんでこの両人が当然の義務を免れるのかと聞いてみたら、*奏任待遇だからという。面白くもない。月給はたくさんとる、時間は少ない、それで宿直をのがれるなんて不公平があるものか。勝手な規則をこしらえて、それが当たり前だというような顔をしている。よくまああんなにずうずうしくできるものだ。これについてはだいぶ不平であるが、山嵐の説によると、いくら一人で不平を並べたって通るものじゃないそうだ。一人だって二人だって正しいことなら通りそうなものだ。山嵐はmight is rightという英語を引いて説諭（わかりやすく説明した）を加えたが、なんだか要領を得ない（要点がつかめない）から、聞き返してみたら強者の権利という意味だそうだ。強者の権利ぐらいなら昔から知っている。今さら山嵐から講釈をきかなくってもいい。強者の権利と宿直とは別問題だ。狸や赤シャツが強者だなんて、だれが承知するものか。議論は議論としてこの宿直がいよいよおれの番に回ってきた。いったい（だいたい）疳性（神経質）だから夜具ふとんなどは自分のものへ楽に寝ないと寝たような心持ちがしない。小供のときから、友達のうちへ泊まったことはほとんどないくらいだ。友達のうちでさえいやなら学校の宿直はなおさらいやだ。いやだけれども、これが四十円のうちへ籠っている（四十円の月給のうちの仕事としてはいっている）なら仕方がない。我慢して勤めてやろう。

教師も生徒も帰ってしまったあとで、一人ぽかんとしているのはずいぶん間が抜けたものだ。宿直部屋は教場の裏手にある寄宿舎の西はずれの一室だ。ちょっとはいってみたが、西日をまともに受けて、苦しくっていたたまれない。田舎だけあって秋がきても、気長に暑いもんだ。生徒の賄い（食事）を取りよせて晩飯を済ましたが、まずいには恐れ入った。よくあんなものを食って、あれだけに暴れられたもんだ。それで晩飯を急いで四時半に片付けてしまうんだから豪

**天目**（四九ページ）天目茶碗の略。中国の天目山で使われていた、すりばち形をした茶碗のこと。ここでは、神仏や高貴な人々にお茶を出すときに天目茶碗をのせる台、天目台のこと。

**奏任待遇** 当時の官吏の資格で、上から勅任官・奏任官・判任官などの順位があった。奏任官でないのに、そのあつかいを受けるもののことをいう。

傑にちがいない。飯は食ったが、まだ日が暮れないから寝るわけにはゆかない。ちょっと温泉にゆきたくなった。宿直をして、外へ出るのはいいことだか、悪いことだかしらないが、こうつくねんとして(なにもしないで)重禁錮(むかしの刑の一つで、刑務所にとどめておく刑)同様な憂き目に逢うのは我慢のできるもんじゃない。始めて学校へきたとき当直の人はと聞いたら、ちょっと用達に出たと小使が答えたのを妙だと思ったが、自分に番が回ってみると思い当たる。出るほうが正しいのだ。おれは小使にちょっと出てくるといったら、なにか御用ですかと聞くから、用じゃない、温泉へはいるんだと答えて、さっさと出かけた。赤手拭いは宿へ忘れてきたのが残念だがきょうは先方で借りるとしよう。

　それからかなりゆるりと、出たりはいったりして、ようやく日暮れ方になったから、汽車へ乗って古町の停車場まできて下りた。学校まではこれから四丁だ。わけはないとあるきだすと、向こうから狸がきた。狸はこれからこの汽車で温泉へゆこうという計画なんだろう。すたすた急ぎ足にやってきたが、すれ違ったときおれの顔を見たから、ちょっと挨拶をした。すると狸はあなたはきょうは宿直ではなかったですかねえと真面目くさって聞いた。なかったですかねえもないもんだ。二時間前におれに向かって今夜は始めての宿直ですね。御苦労さま。と礼をいったじゃないか。校長なんかになるといやに曲がりくねった言葉を使うもんだ。おれは腹が立ったから、ええ宿直です。宿直ですから、これから帰って泊まることはたしかに泊まりますといいすてて済ましてあるきだした。竪町の四つ角までくると今度は山嵐に出っくわした。どうも狭いところだ。出てあるきさえすれば必ずだれかに逢う。「おい君は宿直じゃないか」と聞くから「うん、宿直だ」と答えたら、「宿直が無暗に出てあるくなんて、不都合（ぐあいがわるい）じゃないか」といった。「ちっとも不都合なもんか、出てあるかないほうが不都合だ」と威張ってみせた。「君のずぼら（だらしがない）にも困るな、校長か教頭に出逢うと面倒だぜ」と山嵐に似合わないことをいうから「校長にはたった今逢った。暑いときには散歩でもしないと宿直も骨でしょうと校長が、おれの散歩をほめたよ」といって、面倒くさいから、さっさと学校へ帰ってきた。

それから日はすぐくれる。くれてから二時間ばかりは小使を宿直部屋へ呼んで話をしたが、それも飽きたから、寝られないまでも床へはいろうと思って、寝巻きに着換えて、*蚊帳（五五ページ）をまくって、赤い毛布をはねのけて、とんと尻もちを突いて、仰向けになった。おれが寝るときにとんと尻もちをつくのは小供のときからの癖だ。わるい癖だといって小川町の下宿にいた時分、二階下にいた法律学校の書生が苦情を持ち込んだことがある。法律の書生なんてものは弱いくせに、やに口が達者なもので、愚（つまらぬこと）なことを長たらしく述べたてるから、寝るときにどんどん音がするのはおれの尻がわるいのじゃない。下宿の建築が粗末なんだ。掛け合う（交渉する）なら下宿へ掛け合えと凹まして（やっつけて）やった。この宿直部屋は二階じゃないから、いくら、どしんと倒れても構わない。なるべく勢いよく倒れないと寝たような心持ちがしない。ああ愉快だと足をうんと延ばすと、なんだか両足へ飛びついた。ざらざらして蚤のようでもないからこいつあと驚いて、足を二、三度毛布の中で振ってみた。するとざらざらと当たったものが、きゅうにふえだして脛（ひざから足首まで）が五、六ケ所、股が二、三ケ所、尻の下でぐちゃりと踏みつぶしたのが一つ、臍のところまで飛びあがったのが一つ――いよいよ驚いた。さっそく起きあがって、毛布をぱっと後ろへほうると、ふとんの中から、バッタが五、六十飛び出した。正体の知れないときは多少気味が悪かったが、バッタと相場がきまって（正体がわかったら）みたらきゅうに腹が立った。バッタのくせに人を驚かしやがって、どうするか見ろと、いきなり*くくり枕を取って、二、三度たたきつけたが、相手が小さすぎるから勢いよく投げつける割に利き目がない。仕方がないから、またふとんの上へすわって、煤掃きの時に蓙（いぐさで編んだ敷物）を丸めて畳をたたくように、そこら近辺を無暗にたたいた。バッタが驚いた上に、枕の勢いで飛びあがるものだから、おれの肩だの、頭だの鼻の先だのへくっついたり、ぶつかったりする。顔へついた奴は枕でたたくわけにゆかないから、手でつかんで、一生懸命にたたきつける。忌々しい（腹だたしい）ことに、いくら力を出して

**くくり枕** 中にそばがらや茶がらなどを入れて両はしをしばって作った枕。

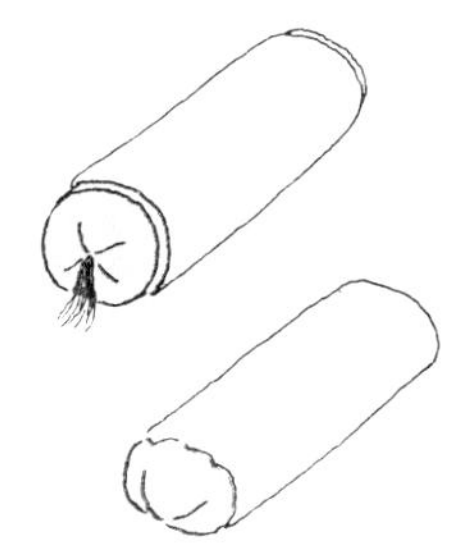

**蚊帳**（五三ページ） 麻や木綿などで作り、蚊をふせぐために寝床の上につるもの。

釣り手
環

も、ぶつかる先が蚊帳だから、ふわりと動くだけで少しも手ごたえがない。バッタはたたきつけられたまま蚊帳へつらまっている。死にもどうもしない。ようやくのことに三十分ばかりでバッタは退治た。箒を持ってきてバッタの死骸を掃き出した。小使がきてなんですかというから、なんですかもあるもんか、バッタを床の中に飼っとく奴がどこの国にある。間抜けめ。と叱ったら、私は存じませんと弁解をした。存じませんで済むかと箒を縁側へほうり出したら、小使は恐る恐る箒を担いで帰っていった。

おれはさっそく寄宿生を三人ばかり総代（代表者として）に呼び出した。すると六人出てきた。六人だろうが十人だろうが構うものか。寝巻きのまま腕まくりをして談判を始めた。

「なんでバッタなんか、おれの床の中へ入れた」

「バッタたなんぞな」とまっ先の一人がいった。やに落ちついていやがる。この学校じゃ校長ばかりじゃない、生徒まで曲がりくねった言葉を使うんだろう。

「バッタを知らないのか、知らなけりゃ見せてやろう」といったが、あいにく掃き出してしまって一匹もいない。また小使を呼んで、「さっきのバッタを持ってこい」といったら、「もう掃き溜め（ごみすて場）へ棄ててしまいましたが、拾ってまいりましょうか」と聞いた。「うんすぐ拾ってこい」というと小使は急いで馳けだしたが、やがて半紙の上へ十匹ばかり載せてきて「どうもお気の毒ですが、あいにく夜でこれだけしか見当たりません。あしたになりましたらもっと拾ってまいります」という。小使まで馬鹿だ。おれはバッタの一つを生徒に見せて「バッタたこれだ、大きなずう体をして、バッタを知らないた、なんのことだ」というと、いちばん左のほうにいた顔の丸い奴が「そりゃ、イナゴぞな、もし」と生意気におれをやり込めた。「べらぼうめ、イナゴもバッタも同じもんだ。第一先生をつらまえてなもしたなんだ。菜飯は田楽（魚などをくしにさし、みそで味つけした田楽焼きのこと）のときよりほかに食うもんじゃない」とあべこべにやり込めてやったら「なもしと菜飯（青菜などをたきこんだ飯）とはちがうぞな、もし」といった。いつまでいってもなもしを使うやつだ。

「イナゴでもバッタでも、なんでおれの床の中へ入れたんだ。おれがいつ、バッタを入れてくれと頼んだ」

「だれも入れやせんがな」

「入れないものが、どうして床の中にいるんだ」

「イナゴは温いところが好きじゃけれ、おおかた（たぶん）一人でおはいりたのじゃあろ」

「ばかあいえ。バッタが一人でおはいりになるなんて――バッタにおはいりになられてたまるもんか。――さあなぜこんないたずらをしたか、いえ」

「いえてて、入れんものを説明しようがないがな」

けちな奴らだ、自分で自分のしたことがいえないくらいなら、てんでしないがいい。証拠さえ挙がらなければ、しらを切る（しらばくれる）つもりで図太く（ずうずうしく）構えていやがる。おれだって中学にいた時分は少しはいたずらをしたもんだ。しかしだれがしたと聞かれたときに、尻込み（おじける）をするような卑怯なことはただの一度もなかった。したものはしたので、しないものはしないにきまっている。おれなんぞは、いくら、いたずらをしたって潔白な（うしろぐらいところがない）ものだ。嘘をついて罰を逃げるくらいなら、始めからいたずらなんかやるものか。いたずらと罰はつきもんだ。罰があるからいたずらも心持ちよくできる。いたずらだけで罰は御免こうむるなんて下劣な根性がどこの国にはやると思ってるんだ。金は借りるが、返すことは御免だという連中はみんな、こんな奴らが卒業してやる仕事に相違ない。ぜんたい中学校へなにしにはいってるんだ。学校へはいって、嘘をついて、ごまかして、陰でこせこせ生意気な悪いたずらをして、そうして大きな面で卒業すれば教育を受けたもんだと癇違いをしていやがる。話せない雑兵(身分の低い兵。ここではいやしい者)だ。

おれはこんな腐った了見の奴らと談判するのは胸糞が悪い(不愉快だ)から、「そんなにいわれなきゃ、聞かなくっていい。中学校へはいって、上品も下品も区別ができないのは気の毒なものだ」といって六人を逐っ放してやった。おれは言葉や様子こそあまり上品じゃないが、心はこいつらよりもはるかに上品なつもりだ。六人は悠々と引き揚げた。うわべだけは教師のおれよりよっぽどえらく見える。じつは落ちついているだけなお悪い。おれには到底これほどの度胸はない。

それからまた床へはいって横になったら、さっきの騒動で蚊帳の中はぶんぶんうなっている。*手燭をつけて一匹ずつ焼くなんて面倒なことはできないから、*釣り手(五五ページ)をはずして、長く畳んでおいて部屋の中で横竪十文字に振るったら、*環(五五ページ)が飛んで手の甲をいやというほどぶった。三度目に床へはいったときは少々落ちついたがなかなか寝られない。時計を見ると十時半だ。考えてみると厄介なところへきたもんだ。いったい中学の先生なんて、どこへいっても、こんなものを相手にするなら気の毒なものだ。よく先生が品切れにならない。よっぽど辛抱強い朴念仁(無口でぶあいそう

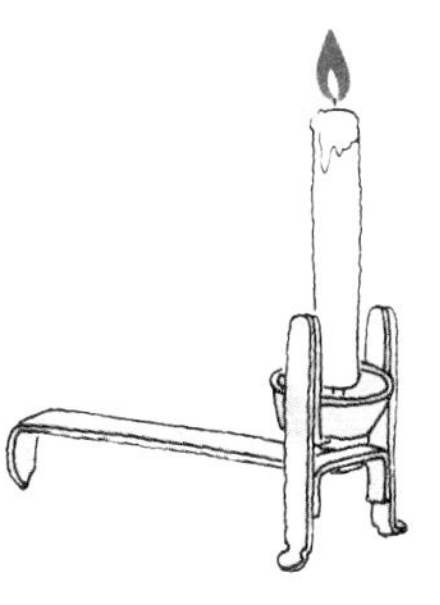

**手燭**　持ち歩くために柄がついたろうそく台。

な人）ろう。おれには到底やり切れない。それを思うと清なんてのは見あげたものだ。教育もない身分もない婆さんだが、人間としてはすこぶる尊い（価値がある）。今まではあんなに世話になって別段ありがたいとも思わなかったが、こうして、一人で遠国へきてみると、始めてあの親切がわかる。越後の笹飴が食いたければ、わざわざ越後まで買いにいって食わしてやっても、食わせるだけの価値は充分ある。清はおれのことを欲がなくって、真っ直な気性だといって、ほめるが、ほめられるおれよりも、ほめる本人のほうが立派な人間だ。なんだか清に逢いたくなった。

清のことを考えながら、のつそつ（のびたり、そったり、何度も寝返りをうつ）していると、突然おれの頭の上で、数でいったら三、四十人もあろうか、二階が落っこちるほどどん、どん、どんと拍子を取って床板を踏みならす音がした。すると足音に比例した大きな鬨の声（おおぜいで声をそろえて叫ぶ声）が起こった。おれは何事が持ちあがったのかと驚いて飛び起きた。飛び起きるとたんに、ははあさっきの意趣返しに生徒があばれるのだなと気がついた。手前のわるいことは悪かったといってしまわないうちは罪は消えないもんだ。わるいことは、手前達に覚えがあるだろう。本来なら寝てから後悔してあしたの朝でもあやまりにくるのが本筋だ。たとい、あやまらないでも恐れ入って、静粛に寝ているべきだ。それをなんだこの騒ぎは。寄宿舎を建てて豚でも飼っておきゃあしまいし。気狂いじみた真似も大抵にするがいい。どうするかみろと、寝巻きのまま宿直部屋を飛びだして、梯子段を三股半に二階まで躍りあがった。すると不思議なことに、今まで頭の上で、たしかにどたばた暴れていたのが、きゅうに静まり返って、人声どころか足音もしなくなった。これは妙だ。ランプはすでに消してあるから、暗くてどこになにがいるか判然と分からないが、人気のあるとないとは様子でも知れる。長く東から西へ貫いた廊下には鼠一匹も隠れていない。廊下のはずれから月がさして、はるか向こうがきわどく明るい。どうも変だ、おれは小供のときから、よく夢を見る癖があって、夢中にはね起きて、わからぬ寝言をいって、人に笑われたことがよくある。十六、七のときダイヤモンドを拾った夢を見た晩なぞは、むくりと立ちあがって、そばにいた兄に、今のダイヤモンドはどうしたと、非常な勢いで尋ねたくらいだ。そのときは三日ばかりうちじゅうの笑い草になって大いに弱った。ことによると今のも夢かもしれない。しかしたしかにあばれたにちがいないがと、廊下の真ん中で考え込んでいると、月のさしている向こうのはずれで、一、二、三わあと、三、四十人の声がかたまって響いたかと思う間もなく、前のように拍子を取って、一同が床板を踏み鳴らした。それ見ろ夢じゃないやっぱり事実だ。静かにしろ、夜なかだぞ、とこっちも負けんくらいな声を出して、廊下を向こうへ駆けだした。おれの通る路は暗い、ただはずれに見える月あかりが目標だ。おれが駆けだして二間もきたかと思うと、廊下の真ん中で、堅い大きなものに向こうずね(すねの前面)をぶつけて、あ痛いが頭へひびく間に、身体はすとんと前へほうりだされた。こん畜生と起きあがってみたが、駆けられない。気はせくが、足だけはいうことを利かない。じれったいから、一本足で飛んできたら、もう足音も人声も静まり返って、森としている(しずかである)。いくら人間が卑怯だって、こんなに卑怯にできるものじゃない。まるで豚だ。こうなれば隠れている奴を引きずり出して、あやまらせてやるまではひかないぞと、心をきめて寝室の一つを開けて中を検査しようと思ったが開かない。錠をかけてあるのか、机かなにか積んで立てかけてあるのか、押しても、押してもけっして開かない。今度は向こう合わせ(向かい合った)の北側の室を試みた。開かないことはやっぱり同然である。おれが戸をあけて中にいる奴を引っつらまえてやろうと、焦慮ってると(あせっていると)、また東のはずれで鬨の声と足拍子が始まった。この野郎申し合わせて、東西相応じておれをばかにする気だな、とは思ったがさてどうしていいか分からない。正直に白状してしまうが、おれは勇気のある割合に知恵が足りない。こんなときにはどうしていいかさっぱりわからない。わからないけれども、けっして負けるつもりはない。このままに済ましてはおれの顔にかかわる（面目がない）。江戸っ子は、意気地がないといわれるのは残念だ。宿直をして鼻たれ小僧にからかわれて、手のつけようがなくて、仕方がないから泣き寝入りにしたと思われちゃ一生の名折れ（不名誉）だ。これでも元は＊旗本だ。旗本の元は＊清和源氏で、＊多田の満仲の後裔（子孫）だ。こんな土百姓とは生まれからしてちがうんだ。ただ知恵のないところが惜しいだけだ。どうしていいか分からないのが困るだけだ。困ったって負けるものか。正直だから、どうしていいか分からないんだ。世の中に正直が勝たないで、ほかに勝つものがあるか、考えてみろ。今夜じゅうに勝てなければ、あした勝つ。あした勝てなければ、あさって勝つ。あさって勝てなければ、下宿から弁当を取り寄せて勝つまでここにいる。おれはこう決心をしたから、廊下の真ん中へあぐらをかいて夜のあけるのを待っていた。蚊がぶんぶんきたけれどもなんともなかった。さっき、ぶつけた向こうずねをなでてみると、なんだかぬらぬらする。血が出るんだろう。血なんか出たければ勝手に出るがいい。そのうち最前からの疲れが出て、ついうとうと寝てしまった。なんだか騒がしいので、眼が

**旗本** 徳川家の直接の家来で、じかに将軍にお目にかかることのできる者をいう。ふつう、五百石以上で、一万石未満。

**清和源氏・多田の満仲** 清和天皇（八五〇〜八八〇）から出て、源氏の姓をいただいた氏族。

清和天皇—貞純親王—経基（六孫王）
- 満仲（多田）
  - 頼光（摂津源氏・多田源氏）—頼国—頼綱—仲政—頼政
  - 頼親（大和源氏）
  - 頼信（河内源氏）—頼義
    - 義家
      - 義親—為義
        - 義朝
          - 義平
          - 朝長
          - 頼朝
            - 頼家—公暁
            - 実朝（千幡）
          - 範頼
          - 義経
        - 義賢—義仲（木曽）
        - 為朝（鎮西八郎）
        - 行家
      - 義国
        - 義重（新田）
        - 義康（足利）
    - 義綱
    - 義光（甲斐源氏）
      - 義業（佐竹）
      - 義清（武田）
- 満政（美濃・尾張・三河源氏）

覚めたときはえっくそしまったと飛びあがった。おれのすわってた右側にある戸が半分あいて、生徒が二人、おれの前に立っている。おれは正気に返って、はっと思うとたんに、おれの鼻の先にある生徒の足を引っつかんで、力任せにぐいと引いたら、そいつは、どたりと仰向けに倒れた。ざまを見ろ。残る一人がちょっと狼狽（あわてた）したところを、飛びかかって、肩を抑えて二、三度こづき回したら、あっけに取られて、眼をぱちぱちさせた。さあおれの部屋までこいと引っ立てると、弱虫だと見えて、一も二もなく（すぐに）尾いてきた。夜はとうにあけている。

おれが宿直部屋へ連れてきた奴を詰問（きびしく問いただす）し始めると、豚は、ぶってもたたいても豚だから、ただ知らんがなで、どこまでも通す了見と見えて、けっして白状しない。そのうち一人くる、二人くる、だんだん二階から宿直部屋へ集まってくる。見るとみんな眠そうに瞼をはらしている。けちな奴らだ。一晩ぐらい寝ないで、そんな面をして男といわれるか。面でも洗って議論にこいといってやったが、だれも面を洗いにゆかない。

おれは五十人余りを相手に約一時間ばかり押し問答（双方でまけずに意見を主張しあうこと）をしていると、ひょっくり狸がやってきた。あとから聞いたら、小使が学校に騒動がありますって、わざわざ知らせにいったのだそうだ。これしきのことに、校長を呼ぶなんて意気地がなさすぎる。それだから中学校の小使なんぞをしてるんだ。

校長はひと通りおれの説明を聞いた、生徒の言い草（言い分）もちょっと聞いた。追って処分するまでは、今までどおり学校へ出ろ。早く顔を洗って、朝飯を食わないと時間に間に合わないから、早くしろといって寄宿生をみんな放免（はなして自由にした）した。手ぬるいことだ。おれなら即席（すぐに）に寄宿生をことごとく退校してしまう。こんな悠長（のんびりと気が長い）なことをするから生徒が宿直員をばかにするんだ。そのうえおれに向かって、あなたもさぞ御心配でお疲れでしょう、きょうは御授業に及ばん（授業しなくてけっこうです）というから、おれはこう答えた。「いえ、ちっとも心配じゃありません。こんなことが毎晩あっても、命のある間は心配にゃなりません。授業はやります、一晩ぐらい寝なくって、授業ができないくらいなら、頂戴した月給を学校のほうへ割り戻します」校長はなんと思ったものか、しばらくおれの顔を見つめていたが、しかし顔がだいぶはれていますよと注意した。なるほどなんだか少々重たい気がする。

その上べた一面（全体に）かゆい。蚊がよっぽど刺したに相違ない。おれは顔じゅうぼりぼりかきながら、顔はいくらはれたって、口はたしかにきけますから、授業には差し支えませんと答えた。校長は笑いながら、だいぶ元気ですねと賞めた。じつをいうと賞めたんじゃあるまい、ひやかしたんだろう。

## 五

君釣りにゆきませんかと赤シャツがおれに聞いた。赤シャツは気味の悪いように優しい声を出す男である。まるで男だか女だか分かりゃしない。男なら男らしい声を出すもんだ。ことに大学卒業生じゃないか。物理学校でさえおれぐらいな声が出るのに、*文学士がこれじゃみっともない。

おれはそうですなあと少し進まない返事をしたら、君釣りをしたことがありますかと失敬なことを聞く。あんまりないが、子供のとき、小梅（東京都墨田区向島の地名）の釣り堀で鮒を三匹釣ったことがある。それから神楽坂の*毘沙門の縁日で八寸（やく二十四センチ）ばかりの鯉を針で引っかけて、しめたと思ったら、ぽちゃりと落としてしまったがこれは今考えても惜しいといったら、赤シャツはあごを前のほうへ突き出してホホ

**文学士**
大学の文学部の卒業生にあたえられる称号で、当時は少数で価値もあった。

**毘沙門**
仏教の教えの中にあらわれる、世界の中心にそびえる高山、須弥山の北方を守る毘沙門天のこと。四天王の一つで、多聞天ともいう。

ホホと笑った。なにもそう気取って笑わなくっても、よさそうなものだ。「それじゃ、まだ釣りの味は分からんですな。お望みならちと伝授しましょう」とすこぶる得意である。だれが御伝授をうけるものか。いったい釣りや猟をする連中はみんな不人情な人間ばかりだ。不人情でなくって、殺生をして喜ぶわけがない。魚だって、鳥だって殺されるより生きてるほうが楽にきまってる。釣りや猟をしなくっちゃ活計がたたないなら格別だが、何不足なく暮らしているうえに、生き物を殺さなくっちゃ寝られないなんてぜいたくな話だ。こう思ったが向こうは文学士だけに口が達者だから、議論じゃかなわないと思って、だまってた。すると先生このおれを降参させたと疳違いして、さっそく伝授しましょう。おひまなら、きょうどうです、いっしょにいっちゃ。吉川君と二人ぎりじゃ、淋しいから、きたまえとしきりに勧める。吉川君というのは画学の教師で例の野だいこのことだ。この野だは、どういう了見だか、赤シャツのうちへ

朝夕出入りして、どこへでも随行（おとものようについて）してゆく。まるで同輩じゃない。主従みたようだ。赤シャツのゆくところなら、野だは必ずゆくにきまっているんだから、今さら驚きもしないが、二人でゆけば済むところを、なんで無愛想のおれへ口を掛けたんだろう。おおかた高慢ちき（いばりくさった）な釣り道楽で、自分の釣るところをおれに見せびらかすつもりかなんかで誘ったに違いない。そんなことで見せびらかされるおれじゃない。鮪の二匹や三匹釣ったって、びくともするもんか。おれだって人間だ、いくら下手だって糸さえおろしゃ、なにかかかるだろう、ここでおれがゆかないと、赤シャツのことだから、下手だからゆかないんだ、嫌いだからゆかないんじゃないと邪推（悪く想像する）するに相違ない。おれはこう考えたから、ゆきましょうと答えた。それから、学校をしまって（授業をおわって）、一応うちへ帰って、支度を整えて、停車場で赤シャツと野だを待ち合わせて浜へいった。船頭は一人で、舟は細長い東京辺では見たこともない恰好である。さっきから船じゅう見渡すが釣り竿が一本も見えない。釣り竿なしで釣りができるものか、どうする了見だろうと、野だに聞くと、沖釣りには竿は用いません。糸だけでげすとあごをなでて黒人（専門家）じみたことをいった。こうやり込められるくらいならだまっていればよかった。

船頭はゆっくりゆっくり漕いでいるが熟練は恐ろしいもので、見返ると、浜が小さく見えるく

らいもう出ている。高柏寺の五重の塔が森の上へ抜けだして針のようにとんがってる。向こう側を見ると青嶋が浮いている。これは人の住まない島だそうだ。よく見ると石と松ばかりだ。なるほど石と松ばかりじゃ住めっこない。赤シャツは、しきりに眺望していい景色だといってる。野だは絶景(すばらしいながめ)でげすといってる。絶景だかなんだか知らないが、いい心持ちには相違ない。ひろびろとした海の上で、潮風に吹かれるのは薬だと思った。いやに腹が減る。「あの松を見たまえ、幹が真っ直で、上が傘のように開いてターナー(イギリスの画家。一七七五〜一八五一)の画にありそうだね」と赤シャツが野だにいうと、野だは「まったくターナーですね。どうもあの曲がり具合ったらありませんね。ターナーそっくりですよ」と心得顔(よくわかっているような顔つき)である。ターナーとはなんのことだか知らないが、聞かないでも困らないことだから黙っていた。舟は島を右に見てぐるりと回った。波はまったくない。これで海だとは受け取りにくいほど平らだ。赤シャツのおかげではなはだ愉快だ。できることなら、あの島の上へ上がってみたいと思ったから、あの岩のあるところへは舟はつけられないんですかと聞いてみた。つけられんこともないですが、釣りをするには、あまり岸じゃいけないですと赤シャツが異議を申し立てた。おれは黙ってた。すると野だがどうです教頭、これからあの島をターナー島と名づけようじゃありませんかとよけいな発議(意見をいうこと)をした。赤シャツはそいつは面白い、われわれはこれからそういおうと賛成した。このわれわれのうちにおれもはいってるなら迷惑だ。おれには青嶋でたくさんだ。あの岩の上に、どうです、ラファエル（イタリアのルネサンス期の画家。一四八三〜一五二〇）のマドンナを置いちゃ。いい画ができますぜと野だがいうと、マドンナ（聖母マリア像）の話はよそうじゃないかホホホホと赤シャツが気味の悪い笑い方をした。なにだれもいないから大丈夫ですと、ちょっとおれのほうを見たが、わざと顔をそむけてにやにやと笑った。おれはなんだかやな心持ちがした。マドンナだろうが、小旦那だろうが、おれの関係したことでないから、勝手に立たせるがよかろうが、人に分からないことをいって分からないから聞いたって構やしませんてえような風をする。下品な仕草（しかた。行動）だ。これで当人はわたしも江戸っ子でげすなどといってる。マドンナというのはなんでも赤シャツのなじみの芸者の渾名かなんかにちがいないと思った。なじみの芸者を無人島の松の下に立たして眺めていれば世話はない。それを野だが油絵にでもかいて展覧会へ出したらよかろう。

　ここいらがいいだろうと船頭は船をとめて、錨をおろした。幾尋あるかねと赤シャツが聞くと、六尋（やく十メートル）ぐらいだという。六尋ぐらいじゃ鯛はむずかしいなと、赤シャツは糸を海へなげ込んだ。大将鯛を釣る気と見える、豪胆（だいたんな）なものだ。野だは、なに教頭のお手際じゃかかりますよ。それになぎ（風がやみ波が静かになること）ですからとお世辞をいいながら、これも糸を繰り出して投げ入れる。なんだか先に錘のような

鉛がぶらさがってるだけだ。浮きがない。浮きがなくって釣りをするのは寒暖計なしで熱度をはかるようなものだ。おれには到底できないと見ていると、さあ君もやりたまえ糸はありますかと聞く。糸はあまるほどあるが、浮きがありませんといったら、浮きがなくっちゃ釣りができないのは素人ですよ。こうしてね、糸が水底へついた時分に、船べりのところで人指しゆびで呼吸をはかるんです、食うとすぐ手に答える。——そらきた、と先生きゅうに糸をたぐり始めるから、なにかかかったと思ったらなんにもかからない、餌がなくなってたばかりだ。いい気味だ。教頭、残念なことをしましたね、今のはたしかに大ものにちがいなかったんですが、どうも教頭のお手際でさえ逃げられちゃ、きょうは油断ができませんよ。しかし逃げられてもなんですね。浮きとにらめくらをしている連中よりけましですね。ちょうど歯どめがなくっちゃ自転車へ乗れないのと同程度ですからねと野だは妙なことばかりしゃべる。よっぽどなぐりつけてやろうかと思った。おれだって人間だ、教頭ひとりで借り切った海じゃあるまいし。広いところだ。鰹の一匹ぐらい義理にだって、かかってくれるだろうと、どぼんと錘と糸を抛り込んでいいかげんに指の先であやつっていた。

しばらくすると、なんだかぴくぴくと糸にあたるものがある。おれは考えた。こいつは魚に相違ない。生きてるものでなくっちゃ、こうぴくつくわけがない。しめた、釣れたとぐいぐい手繰り寄せた。おや釣れましたかね、後世恐るべし（あとから生まれてくる人はどれだけ力を示すか、はかり知れない）だと野だがひやかすうち、糸はもう大概手繰り込んでただ五尺ばかりほどしか、水に浸いておらん。*船べり（八三ページ）から覗いてみたら、金魚のような縞のある魚が糸にくっついて、右左へただよいながら、手に応じて浮きあがってくる。面白い。水ぎわから上げるとき、ぽちゃりと跳ねたから、おれの顔は潮水だらけになった。ようやくつらまえて、針をとろうとするがなかなか取れない。つらまえた手はぬるぬるする。大いに気味がわるい。面倒だから糸を振って胴の間（和船の中央の部分）へたたきつけたら、すぐ死んでしまった。赤シャツと野だは驚いて見ている。おれは海の中で手をざぶざぶと洗って、鼻の先へあてがってみた。まだなまぐさい。もう懲り懲りだ（こりごりだ）、なにが釣れたって魚は握りたくない。魚も握られたくなかろう。そうそう（はやばやと）糸を捲いてしまった。

一番槍（最初に手柄をたてること）はお手柄だがゴルキ（べら科の魚。松山地方でこうよぶ）じゃ、と野だがまた生意気をいうと、*ゴルキというと露西亜の文学者みたような（みたいな）名だねと赤シャツがしゃれた。そうですね、まるで露西亜の文学者ですねと野だはすぐ賛成しやがる。ゴルキが露西亜の文学者で、丸木が芝の写真師で、米のなる木が命の親だろう。いったいこの赤シャツはわるい癖だ。だれをつらまえても片仮名の唐人（外国人）の名を並べたがる。人にはそれぞれ専門があったものだ。おれのような数学の教師にゴルキだか車力(車をひいて荷物をはこぶ商売をする人)だか見当がつくものか、少しは遠慮するがいい。いうならフランクリンの自伝(当時よく読まれた本)だとか*プッシング、ツー、ゼ、フロントだとか、おれでも知ってる名を使うがいい。赤シャツはときどき帝国文学とかいう真っ赤な雑誌を学校へ持ってきてありがたそうに読んでいる。山嵐に聞いてみたら、赤シャツの片仮名はみんなあの雑誌から出るんだそうだ。*帝国文学も罪な雑誌だ。

それから赤シャツと野だは一生懸命に釣っていたが、約一時間ばかりのうちに二人で十五、六上げた。おかしいことに釣れるのも、釣れるのも、みんなゴルキばかりだ。鯛なんて薬にしたくってもありゃしない。きょうは露西亜文学の大当たりだと赤シャツが野だに話している。あなたの手腕でゴルキなんですから、わたしなんぞがゴルキなのは仕方がありません。当たり前ですなと野だが答えている。船頭に聞くとこの小魚は骨が多くって、まずくって、とても食

**ゴルキというと露西亜の文学者**
「どん底」などの作品で有名なゴーリキー(一八六八〜一九三六)のこと。

**プッシング、ツー、ゼ、フロント**
アメリカ人マーデンの書いた、実利主義を説明した本。当時、教科書としてよく使われた。

**帝国文学**
東京帝国大学文科関係の機関誌で、一八九五(明治二十八)年創刊。夏目漱石の「倫敦塔」、芥川龍之介の「羅生門」なども発表された。一九二〇(大正九)年、終刊。

えないんだそうだ。ただ肥料にはできるそうだ。赤シャツと野だは一生懸命に肥料を釣っているんだ。気の毒の至りだ。おれは一匹で懲りたから、胴の間へ仰向けになって、さっきから大空を眺めていた。釣りをするよりこのほうがよっぽどしゃれている。

　すると二人は小声でなにか話し始めた。おれにはよく聞こえない、また聞きたくもない。おれは空を見ながら清のことを考えている。金があって、清をつれて、こんな奇麗なところへ遊びにきたらさぞ愉快だろう。いくら景色がよくっても野だなどといっしょじゃつまらない。清はしわくちゃだらけの婆さんだが、どんなところへ連れて出たって恥ずかしい心持ちはしない。野だのようなのは、馬車に乗ろうが、船に乗ろうが、凌雲閣（東京浅草にあった建物で、十二階の名で有名）へのろうが、到底寄り付けたものじゃない。おれが教頭で、赤シャツがおれだったら、やっぱりおれにへけつけ（おしゃべり）お世辞を使って赤シャツを冷やかすにちがいない。江戸っ子は軽薄（考えがあさく、行動がかるがるしい）だというがなるほどこんなものが田舎回りをして、わたしは江戸っ子でげすと繰り返していたら、軽薄は江戸っ子で、江戸っ子は軽薄のことだと田舎者が思うにきまってる。こんなことを考えていると、なんだか二人がくすくす笑いだした。笑い声の間になにかいうがとぎれとぎれでとんと要領を得ない。「え？　どうだか……」「……まったくです……知らないんですから……罪ですね」「まさか……」「バッタを……本当ですよ」

おれはほかの言葉には耳を傾けなかったが、バッタという野だの語を聞いたときは、思わず屹となった(きびしい顔つきになった)。野だはなんのためかバッタという言葉だけことさら力を入れて、明瞭におれの耳にはいるようにして、そのあとをわざとぼかしてしまった。おれは動かないでやはり聞いていた。

「また例の堀田が……」「そうかもしれない……」「天麩羅……ハハハハハ」「……煽動して……」

「団子も?」

言葉はかように(このように)途切れ途切れであるけれども、バッタだの天麩羅だの、団子だのというところをもって推し測ってみると、なんでもおれのことについて内所話をしているに相違ない。話すならもっと大きな声で話すがいい、また内所話をするくらいなら、おれなんか誘わなければいい。いけ好かない(いやらしい)連中だ。バッタだろうが雪踏*(七九ページ)だろうが、非は(悪いのは)おれにあることじゃない。校長がひとまずあずけろといったから、狸の顔にめんじてただ今のところは控えているんだ。野だのくせにいらぬ批評をしやがる。毛筆でもしゃぶって引っ込んでるがいい。おれのことは、遅かれ早かれ、おれ一人で片付けてみせるから、差し支えはないが、また例の堀田がとか煽動してとかいう文句が気にかかる。堀田がおれを煽動して騒動を大きくしたという意味なのか、あるいは堀田が生徒を煽動しておれをいじめたというのか方角(見当がつかない。わけがわからない)がわからない。青空を見ていると、日の光がだんだん弱ってきて、少しはひやりとする風が吹きだした。線香の煙のような雲が、透きとおる底の上を静かに伸して(のびてひろがって)いったと思ったら、いつしか底の奥に流れ込んで、うすくもやを掛けたようになった。

もう帰ろうかと赤シャツが思い出したようにいうと、ええちょうど時分ですね。今夜はマドンナの君にお逢いですかと野だがいう。赤シャツはばかあいっちゃいけない、間違いになると、*船べり(八二ページ)に身をもたした奴を、少し起き直る。エヘヘヘ大丈夫ですよ。聞いたって……と野だが振り返ったとき、おれは皿(大きく見ひらいた眼)のような眼を野だの頭の上へまともに浴びせかけてやった。野だはまぼしそうに(まぶしそうに)引っ繰り返って、や、こいつは降参だと首を縮めて、頭をかいた。なんという猪口才だろう(なまいきだろう)。

船は静かな海を岸へ漕ぎ戻る。君釣りはあまり好きでないとみえますねと赤シャツが聞くから、ええ寝ていて空を見るほうがいいですと答えて、吸いかけた巻き煙草を海の中へたたき込んだら、ジュと音がして*艪の足でかき分けられた波の上を揺られながらただよっていった。「君がきたんで生徒も大いに喜んでいるから、奮発してやってくれたまえ」と今度は釣りにはまるで縁故(関係)もないことをいいだした。「あんまり喜んでもいないでしょう」「いえ、お世辞じゃない。まったく喜んでいるんです、ね、吉川君」「喜んでるどころじゃない。大騒ぎです」と野だはにやにやと笑っ

**雪踏**（七七ページ）竹の皮ぞうりのうらに、牛皮をはったはきもの。

**艪**　和船をこぐ道具。

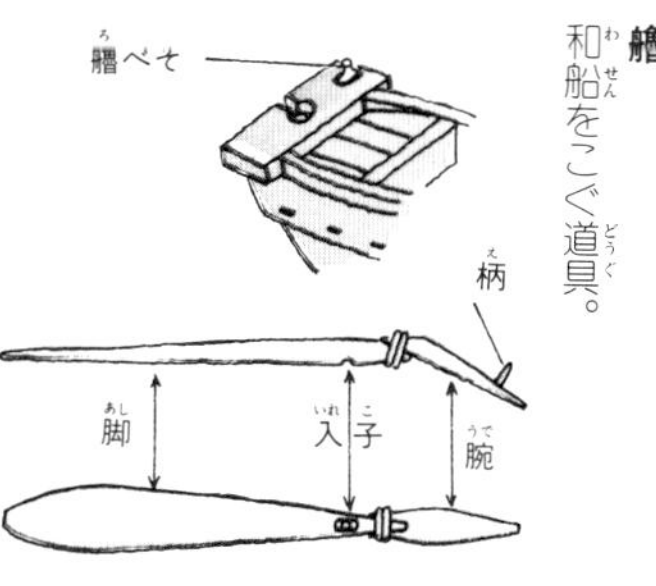


た。こいつのいうことは一々癪にさわるから妙だ。「しかし君注意しないと、険呑ですよ（危険）」と赤シャツがいうから「どうせ険呑です。こうなりゃ険呑は覚悟です」といってやった。実際おれは免職になるか、寄宿生をことごとくあやまらせるか、どっちか一つにする了見でいた。「そういっちゃ、取りつきどころもないが――じつは僕も教頭として君のためを思うからいうんだから、わるく取っちゃ困る」「教頭はまったく君に好意を持ってるんですよ。僕も及ばずながら、同じ江戸っ子だから、なるべく長く御在校を願って、お互いに力になろうと思って、これでも蔭ながら尽力しているんですよ」と野だが人間並のことをいった。野だのお世話になるくらいなら首をくくって死んじまわあ。

「それでね、生徒は君のきたのをたいへん歓迎しているんだが、そこにはいろいろな事情があってね。君も腹の立つこともあるだろうが、ここが我慢だと思って、辛抱してくれたまえ。けっして君のためにならないようなことはしないから」

「いろいろの事情た、どんな事情です」

「それが少し込み入ってるんだが、まあだんだん分かりますよ。僕が話さないでも自然と分かってくるです、ね吉川君」

「ええなかなか込み入ってますからね。一朝一夕（短時日には、すぐには）にゃ到底分かりません。しかしだんだん分かります、僕が話さないでも自然と分かってくるです」と野だは赤シャツと同じようなことをいう。

「そんなめんどうな事情なら聞かなくてもいいんですが、あなたのほうから話し出したから伺うんです」

「そりゃごもっともだ。こっちで口を切って、あとをつけないのは無責任ですね。それじゃこれだけのことをいっておきましょう。あなたは失礼ながら、まだ学校を卒業したてで、教師は始めての、経験である。ところが学校というものはなかなか情実（事情）のあるもので、そう書生流（世間に通じない、青くさいやり方）に淡泊にはゆかないですからね」

「淡泊にゆかなければ、どんなふうにゆくんです」

「さあ君はそう率直だから、まだ経験に乏しいというんですがね……」

「どうせ経験には乏しいはずです。履歴書にもかいときましたが二十三年四ヶ月ですから」

「さ、そこで思わぬ辺から乗ぜられる（つけこまれる）ことがあるんです」

「正直にしていればだれが乗じたって怖くはないです」

「無論怖くはない、怖くはないが、乗ぜられる。現に君の前任者がやられたんだから、気をつけないといけないというんです」

野だがおとなしくなったなと気がついて、ふり向いてみると、いつしか*艫（八三ページ）のほうで船頭と釣りの話をしている。野だがいないんでよっぽど話しよくなった。

「僕の前任者が、だれに乗ぜられたんです」

「だれと指すと、その人の名誉に関係するからいえない。また判然と（はっきりと）証拠のないことだからいうとこっちの落ち度（あやまち）になる。とにかく、せっかく君がきたもんだから、ここで失敗しちゃ僕らも君を呼んだ甲斐がない、どうか気をつけてくれたまえ」

「気をつけろったって、これより気のつけようはありません。わるいことをしなけりゃいいんでしょう」

赤シャツはホホホホと笑った。別段おれは笑われるようなことをいった覚えはない。今日ただ今に至るまでこれでいいと堅く信じている。考えてみると世間の大部分の人はわるくなることを奨励しているように思う。わるくならなければ社会に成功はしないものと信じているらしい。たまに正直な純粋な人を見ると、坊っちゃんだの小僧だのと難癖（わざと欠点をみつけだして、なんだかんだ文句をいって）をつけて軽蔑する。それじゃ小学校や中学校で嘘をつくな、正直にしろと倫理の先生が教えないほうがいい。いっそ思い切って学校で嘘をつく法とか、人を信じない術とか、人を乗せる策を教授するほうが、世のためにも当人のためにもなるだろう。赤シャツがホホホホと笑ったのは、おれの単純なのを笑ったのだ。単純や真率（正直なこと）が笑われる世の中じゃしようがない。清はこんなときにけっして笑ったことはない。大いに感心して聞いたもんだ。清のほうが赤シャツよりよっぽど上等だ。

「むろん悪いことをしなければいいんですが、自分だけ悪いことをしなくっても、人の悪いのが分からなくっちゃ、やっぱりひどい目に逢うでしょう。世の中には磊落（さっぱりしている）なように見えても、淡泊なように見えても、親切に下宿の世話なんかしてくれても、めったに油断のできないのがありますから……。だいぶ寒くなった。もう秋ですね、浜のほうは靄でセピヤ色（黒みをおびた茶色）になった。いい景色だ。おい、吉川君どうだい、あの浜の景色は……」と大きな声を出して野だを呼んだ。なあるほどこりゃ奇絶（たいへんめずらしい）ですね。時間があると写生するんだが、惜しいですね。このままにしておくのはと野だ

**艫** 船の後部。船尾。
**舳** 船の前部。船首。みよしともいう。

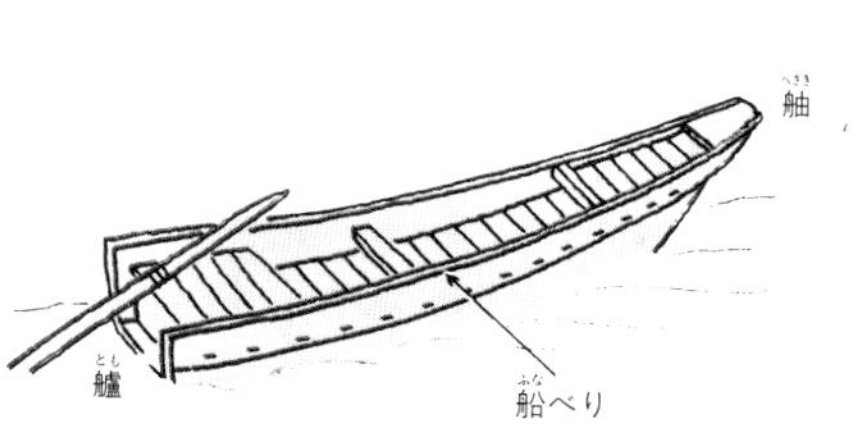


は大いにたたく（おせじをいう）。

港屋の二階に灯が一つついて、汽車の笛がヒューと鳴るとき、おれの乗っていた舟は磯の砂へざぐりと、＊舳をつき込んで動かなくなった。お早うお帰りと、かみさんが、浜に立って赤シャツに挨拶する。おれは船ばたから、やっと掛け声をして磯へ飛びおりた。

## 六

野だは大嫌いだ。こんな奴は沢庵石（たくあんをつけるのに、重しにする石）をつけて海の底へ沈めちまうほうが日本のためだ。赤シャツは声が気に食わない。あれは持ち前の声をわざと気取ってあんな優しいように見せてるんだろう。いくら気取ったって、あの面じゃだめだ。惚れるものがあったってマドンナぐらいなものだ。しかし教頭だけに野だよりむずかしいことをいう。うちへ帰って、あいつの申し条（言い分）を考えてみると一応もっとものようでもある。判然としたことはいわないから、見当がつきかねるが、なんでも山嵐がよくない奴だから用心しろというのらしい。それならそうとはっきり断言するがいい、男らしくもない。そうして、そんな悪い教師なら、早く免職さしたらよかろう。教頭なんて文学士のくせに意気地のないもんだ。陰口(当人のいないところで悪口をいう)をきくのでさえ、公然(おおっぴらに)と名前がいえないくらいな男だから、弱虫にきまってる。弱虫は親切なものだから、あの赤シャツも女のような親切ものなんだろう。親切は親切、声は声だから、声が気に入らないって、親切を無にしちゃ筋が違う。それにしても世の中は不思議なものだ、虫の好かない奴が親切で、気の合った友達が悪漢だなんて、人をばかにしている。おおかた(たぶん)田舎だから万事東京のさかに(ぎゃくに)ゆくんだろう。物騒(あぶない)なところだ。いまに火事が氷って、石が豆腐になるかもしれない。しかし、あの山嵐が生徒を煽動(そそのかす)するなんて、いたずらをしそうもないがな。いちばん人望のある教師だというから、やろうと思ったらたいていの事はできるかもしれないが、——第一そんな回りくどいことをしないでも、じかにおれを捕まえて喧嘩を吹きかけりゃ手数が省けるわけだ。おれが邪魔になるなら、じつはこれこれだ、邪魔だから辞職してくれといや、よさそうなもんだ。物は相談ずくでどうでもなる。向こうの言い条(言い分)がもっともなら、あしたにでも辞職してやる。ここばかり米ができるわけでもあるまい。どこの果てへいったって、のたれ死(ゆきだおれ)にはしないつもりだ。山嵐はよっぽど話せない奴だな。

ここへきたとき第一番に氷水をおごったのは山嵐だ。そんな裏表のある奴から、氷水でもおごってもらっちゃ、おれの顔にかかわる。おれはたった一杯しか飲まなかったから一銭五厘しか払わしちゃない。しかし一銭だろうが五厘だろうが、詐欺師の恩になっては、死ぬまで心持ちがよくない。あした学校へいったら、一銭五厘返しておこう。おれは清から三円借りている。その三円は五年たったきょうまでまだ返さない。返せないんじゃない、返さないんだ。清はいまに返すだろうなどと、かりそめにも(ごくわずかでも)おれの懐中(ふところ。さいふ)をあてにはしていない。おれもいまに返そうなどと他人がましい義理立てはしないつもりだ。こっちがこんな心配をすればするほど清の心を疑ぐるようなもので、清の美しい心にけちをつけると同じことになる。返さないのは清を踏みつけるのじゃない、清をおれの片破れ(一部)と思うからだ。清と山嵐とはもとより比べ物にならないが、たとい氷水だろうが、甘茶だろうが、他人から恵みを受けて、だまっているのは向こうをひとかどの(一人前の)人間と見立てて、その人間に対する厚意の所作だ。割り前(各自に割りあてる金額)を出せばそれだけのことで済むところを、心のうちでありがたいと恩に着るのは銭金で買える返礼じゃない。無位無官(地位や官職になくても)でも一人前の独立した人間だ。独立した人間が頭を下げるのは百万両より尊いお礼と思わなければならない。

おれはこれでも山嵐に一銭五厘奮発させて、百万両より尊い返礼をした気でいる。山嵐はありがたいと思ってしかるべきだ。それに裏へ回って卑劣な振る舞い（ひきょうな行動）をするとはけしからん野郎だ。あしたいって一銭五厘返してしまえば借りも貸しもない。そうしておいて喧嘩をしてやろう。

おれはここまで考えたら、眠くなったからぐうぐう寝てしまった。あくる日は思う仔細（わけ）があるから、例刻（いつもの時刻）より早めに出校して山嵐を待ち受けた。ところがなかなか出てこない。うらなりが出てくる。漢学の先生が出てくる。野だが出てくる。しまいには赤シャツまで出てきたが山嵐の机の上は白墨が一本竪に寝ているだけで閑静（ひっそりしている）なものだ。おれは、控え所へはいるや否や（はいるとすぐに）返そうと思って、うちを出るときから、湯銭（ふろ銭。入浴料）のように手の平へ入れて＊一銭五厘、学校まで握ってきた。おれは膏っ手（あぶら汗のかきやすい手）だから、開けてみると一銭五厘が汗をかいている。汗をかいている銭を返しちゃ、山嵐がなんとかいうだろうと思ったから、机の上へ置いてふうふう吹いてまた握った。ところへ赤シャツがきてきのうは失敬、迷惑でしたろうといったから、迷惑じゃありません、おかげで腹が減りましたと答えた。すると赤シャツは山嵐の机の上へ肱を突いて、あの盤台面（平たく大きい顔）をおれの鼻の側面へ持ってきたから、なにをするかと思ったら、君きのう帰りがけに船の中で話したことは、秘密にしてくれたまえ。まだだれにも話しゃしますまいねといった。女のような声を出すだけに心配性な男と見える。話さないことはたしかである。しかしこれから話そうという心持ちで、すでに一

**一銭五厘** 一銭は一円の百分の一。一厘は一銭の十分の一。いまの四、五十円くらいか。

**鎬** 刃物の、刃と棟とのあいだの小高い部分。

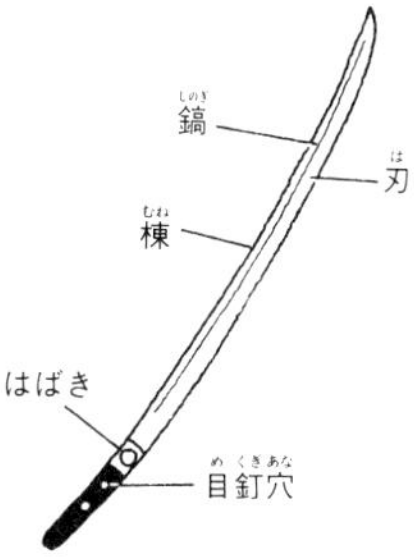

鎬
刃
棟
はばき
目釘穴

銭五厘手の平に用意しているくらいだから、ここで赤シャツから口留めをされちゃ、ちと困る。赤シャツも赤シャツだ。山嵐と名を指さないにしろ、あれほど推察のできる謎をかけておきながら、今さらその謎を解いちゃ迷惑だとは教頭とも思えぬ無責任だ。元来なら（ほんとうは）おれが山嵐と戦争をはじめて*鎬を削ってる（はげしく争う）真ん中へ出て堂々とおれの肩を持つべきだ。それでこそ一校の教頭で、赤シャツを着ている主意も立つ（考えもはっきりとわかる）というもんだ。

おれは教頭に向かって、まだだれにも話さないが、これから山嵐と談判するつもりだといったら、赤シャツは大いに狼狽して（あわてて）、君そんな無法な（らんぼうな）ことをしちゃ困る。僕は堀田君のことについて、別段君になにも明言した覚えはないんだから――君がもしここで乱暴を働いてくれると、僕は非常に迷惑する。君は学校に騒動を起こすつもりできたんじゃなかろうと妙に常識をはずれた質問をするから、当たり前です、月給をもらったり、騒動を起こしたりしちゃ、学校のほうでも困るでしょうといった。すると赤シャツはそれじゃきのうのことは君の参考だけにとめて、口外してくれるなと汗をかいて依頼に及ぶから、よろしい、僕も困るんだが、そんなにあなたが迷惑ならよしましょうと受け合った。君大丈夫かいと赤シャツは念を押した。どこまで女らしいんだか奥行きがわからない。文学士なんて、みんなあんな連中ならつまらんものだ。辻褄の合わない、論理に欠けた注文をして恬然としている。しかもこのおれを疑ってる。はばかりながら男だ。受け合ったことを裏へ回って反古にするようなさもしい了見を持ってるもんか。

ところへ両隣の机の所有主も出校したんで、赤シャツは早々自分の席へ帰っていった。赤シャツは歩き方から気取ってる。部屋の中を往来するのでも、音を立てないように靴の底をそっと落とす。音を立てないであるくのが自慢になるもんだとは、このときから始めて知った。泥棒の稽古じゃあるまいし、当たり前にするがいい。やがて始業の喇叭がなった。山嵐はとうとう出てこない。仕方がないから、一銭五厘を机の上へ置いて教場へ出かけた。

授業の都合で一時間目は少し後れて、控え所へ帰ったら、ほかの教師はみんな机を控えて話をしている。山嵐もいつの間にかきている。欠勤だと思ったら遅刻したんだ。おれの顔を見るや否やきょうは君のおかげで遅刻したんだ。罰金を出したまえといった。おれは机の上にあった一銭五厘を出して、これをやるから取っておけ。せんだって通町で飲んだ氷水の代(代金)だと山嵐の前へ置くと、なにをいってるんだと笑いかけたが、おれが存外(思いのほか)まじめでいるので、つまらない冗談をするなと銭をおれの机の上に掃き返した。おや山嵐のくせにどこまでもおごる気だな。

「冗談じゃない本当だ。おれは君に氷水をおごられる因縁(関係)がないから、出すんだ。取らない法があるか」

『そんなに一銭五厘が気になるなら取ってもいいが、なぜ思い出したように、今時分返すんだ」

「今時分でも、いつ時分でも、返すんだ。おごられるのが、いやだから返すんだ」

山嵐は冷然(ひややかに)とおれの顔を見てふんといった。赤シャツの依頼がなければ、ここで山嵐の卑劣をあばいて大喧嘩をしてやるんだが、口外しないと受け合ったんだから動きがとれない。人がこんなに真っ赤になってるのにふんという理屈があるものか。

「氷水の代は受け取るから、下宿は出てくれ」

「一銭五厘受け取ればそれでいい。下宿を出ようが出まいがおれの勝手だ」

「ところが勝手でない、きのう、あすこの亭主がきて君に出てもらいたいというから、そのわけを聞いたら亭主のいうのはもっともだ。それでももう一応たしかめるつもりで今朝あすこへ寄って詳しい話を聞いてきたんだ」

おれには山嵐のいうことがなんの意味だか分からない。

「亭主が君になにを話したんだか、おれが知ってるもんか。そう自分だけできめたってしようがあるか。わけがあるなら、わけを話すが順だ。てんから(はじめっから)亭主のいうほうがもっともだなんて失敬千万(失礼もはなはだしい)なことをいうな」

「うん、そんならいってやろう。君は乱暴であの下宿で持てあまされているんだ。いくら下宿の女房だって、下女(下ばたらきをする女)たあちがうぜ。足を出して拭かせるなんて、威張りすぎるさ」

「おれが、いつ下宿の女房に足を拭かせた」

「拭かせたかどうだか知らないが、とにかく向こうじゃ、君に困ってるんだ。下宿料の十円や十五円は掛け物を一幅売りゃ、すぐ浮いてくるっていってたぜ」

「利いた風(なまいきな)なことをぬかす野郎だ。そんなら、なぜ置いた(下宿人として住まわせた)」

「なぜ置いたか、僕は知らん、置くことは置いたんだが、いやになったんだから、出ろというんだろう。君出てやれ」

「当たり前だ。いてくれと手を合わせたって、いるものか。いったいそんな言いがかりをいうよ

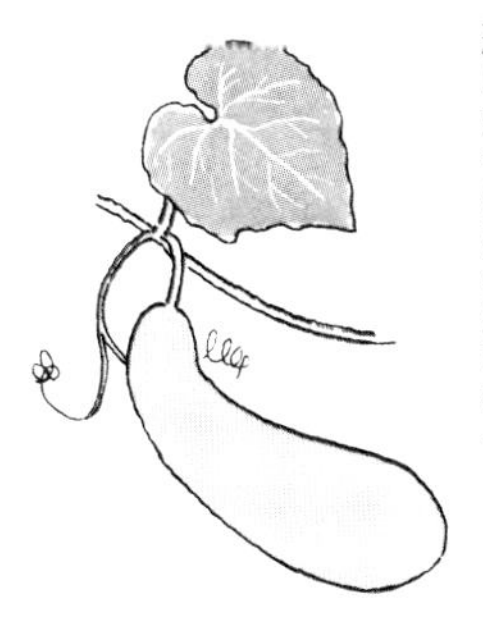

**干瓢づら**
干瓢とは、うり科の植物ゆうがおの実のことで、細長い顔を表現したものだと思われる。

うなところへ周旋する君からしてが不埒だ（けしからぬ）

「おれが不埒か、君がおとなしくないんだか、どっちかだろう」

山嵐もおれに劣らぬ肝癪持ちだから、負け嫌い（負けずに）な大きな声を出す。控え所にいた連中は何事が始まったかと思って、みんな、おれと山嵐のほうを見て、あごを長くしてぼんやりしている。おれは、別に恥ずかしいことをした覚えはないんだから、立ち上がりながら、部屋じゅう一通り見巡してやった。みんなが驚いているなかに野だだけは面白そうに笑っていた。おれの大きな眼が、貴様も喧嘩をするつもりかという権幕（あらあらしい顔つき）で、野だの干瓢づら＊を射ぬいたときに、野だは突然まじめな顔をして、大いにつつしんだ（ひかえめな態度をとった）。少し怖かったと見える。そのうち喇叭が鳴る。山嵐もおれも喧嘩を中止して教場へ出た。

午後は、先夜おれに対して無礼を働いた寄宿生の処分法についての会議だ。会議というものは生まれて始めてだからとんと容子が分からないが、職員が寄って、たかって自分勝手な説をたてて、それを校長がいい加減にまとめるのだろう。まとめるというのは黒白の決しかねる（善悪の判断がつきにくい）事柄についていうべき言葉だ。この場合のような、だれが見たって、不都合（けしからん）としか思われない事件に会議をするのは暇つぶしだ。だれがなんと解釈したって異説の出ようはずがない。こんな明白なのは即座に校長が処分してしまえばいいのに。ずいぶん決断のないことだ。校長ってものが、これならば、なんのことはない、煮え切らない愚図の異名（のろまな人間の別名だ）だ。

会議室は校長室の隣にある細長い部屋で、平常は食堂の代理を勤める。黒い皮で張った椅子が二十脚ばかり、長いテーブルの周囲に並んでちょっと神田の西洋料理屋ぐらいな格だ。そのテーブルの端に校長がすわって、校長の隣に赤シャツが構える。あとは勝手次第に席に着くんだそうだが、体操の教師だけはいつも席末に謙遜（末席にひかえる）するという話だ。おれは様子が分からないから、博物の教師と漢学の教師の間へはいり込んだ。向こうを見ると山嵐と野だが並んでる。野だの顔はどう考えても劣等だ。喧嘩はしても山嵐のほうがはるかに趣（味わいがある）がある。おやじの葬式のときに小日向（現在の東京都文京区小日向）の養源寺の座敷にかかってた掛け物はこの顔によく似ている。坊主に聞いてみたら*韋駄天（九五ページ）という怪物だそうだ。きょうは怒ってるから、眼をぐるぐる回しちゃ、ときどきおれのほうを見る。そんなことでおどかされてたまるもんかと、おれも負けない気で、やっぱり眼をぐりつかせて、山嵐をにらめてやった。おれの眼は格好はよくないが、大きいことにおいてはたいていな人には負けない。あなたは眼が大きいから役者になるときっと似合いますと清がよくいったくらいだ。

もうたいていお揃いでしょうかと校長がいうと、書記の川村というのが一つ二つと頭数を勘定してみる。一人足りない。一人不足ですがと考えていたが、これは足りないはずだ。唐茄子のうらなり君がきていない。おれとうらなり君とはどういう宿世の因縁(生まれる前からの縁)かしらないが、この人の顔を見て以来どうしても忘れられない。控え所へくれば、すぐ、うらなり君が眼につく、途中をあるいていても、うらなり先生の様子が心に浮かぶ。温泉へゆくと、うらなり君がときどき蒼い顔をして湯壺のなかにふくれている。挨拶をするとへえと恐縮して頭を下げるから気の毒になる。学校へ出てうらなり君ほどおとなしい人はいない。めったに笑ったこともないが、よけいな口をきいたこともない。おれは君子という言葉を書物の上で知ってるが、これは字引きにあるばかりで、生きてるものではないと思ってたが、うらなり君に逢ってから始めて、やっぱり正体のある文字だと感心したくらいだ。

このくらい関係の深い人のことだから、会議室へはいるや否や、うらなり君のいないのは、すぐ気がついた。実をいうと、この男の次へでもすわろうかと、ひそかに目標にしてきたくらいだ。校長はもうやがて見えるでしょうと、自分の前にある紫の＊袱紗包みをほどいて、＊蒟蒻版のようなものを読んでいる。赤シャツは＊琥珀のパイプを絹ハンケチで磨き始めた。この男はこれが道楽である。赤シャツ相当のところだろう。ほかの連中は隣同志でなんだかささやき合っている。手持ち無沙汰なのは鉛筆の尻に着いている、ゴムの頭でテーブルの上へしきりになにか書いている。野だはときどき山嵐に話しかけるが、山嵐はいっこう応じない。ただうんとかああというばかりで、ときどき怖い眼をして、おれのほうを見る。おれも負けずににらめ返す。

　ところへ待ちかねた、うらなり君が気の毒そうにはいってきて少々用事がありまして、遅刻致しましたと慇懃(ていねいに)に狸に挨拶をした。では会議を開きますと狸はまず書記の川村君に蒟蒻版を配付させる。見ると最初が処分の件、次が生徒取り締まりの件、その他二、三ケ条である。狸は例のとおりもったいぶって、教育の生き霊(教育の鬼、の意味)という見えでこんな意味のことを述べた。「学校の職員や生徒に過失のあるのは、みんな自分の寡徳(徳が少ない)のいたすところで、なにか事件がある度に、自分はよくこれで校長が勤まるとひそかに慚愧(はずかしいかぎりだが)の念に堪えんが、不幸にして今回もまたかかる騒動を引き起こしたのは、深く諸君に向かって謝罪しなければならん。しかしひとたび起こった以上は仕方が

**韋駄天**（九二ページ）
足がはやい仏法守護の神。

**袱紗**
絹の布で、ものを包んだり茶道などで用いる。二重と一重のものがある。

**蒟蒻版**
謄写版の一種で、こんにゃくを台にして印刷する。ここでは、その印刷物をさす。

**琥珀**
大むかしの樹脂が土中にうもれて固まってできた、黄色くてすきとおったもの。こすると静電気がおきやすい。

ない、どうにか処分をせんければならん、事実はすでに諸君の御承知のとおりであるからして、善後策について腹蔵（かくしだてのない）のないことを参考のためにお述べください」
　おれは校長の言葉を聞いて、なるほど校長だの狸だのというものは、えらいことをいうもんだと感心した。こう校長がなにもかも責任を受けて、自分の咎（あやまち）だとか、不徳だとかいうくらいなら、生徒を処分するのは、やめにして、自分から先へ免職になったら、よさそうなもんだ。そうすればこんな面倒な会議なんぞを開く必要もなくなるわけだ。第一常識からいっても分かってる。おれがおとなしく宿直をする。生徒が乱暴をする。わるいのは校長でもなけりゃ、おれでもない、生徒だけにきまってる。もし山嵐が煽動したとすれば、生徒と山嵐を退治れば（退治すれば）それでたくさんだ。人の尻を自分でしょい込んで、おれの尻だ、おれの尻だと吹き散らかす奴が、どこの国にあるもんか、狸でなくっちゃできる芸当じゃない。彼はこんな条理にかなわない議論を吐いて、得意げに一同を見回した。ところがだれも口を開くものがない。博物の教師は第一教場の屋根に烏がとまってるのを眺めている。漢学の先生は蒟蒻版を畳んだり、延ばしたりしてる。山嵐はまだおれの顔をにらめている。会議というものが、こんなばかげたものなら、欠席して昼寝でもしているほうがましだ。

おれは、じれったくなったから、一番大いに弁じてやろうと思って、半分尻をあげかけたら、赤シャツがなにかいいだしたから、やめにした。見るとパイプをしまって、縞のある絹ハンケチで顔をふきながら、なにかいっている。あのハンケチはきっとマドンナから巻きあげたに相違ない。男は白い麻を使うもんだ。「私も寄宿生の乱暴を聞いてははなはだ教頭として不行き届きであり、かつ平常の徳化が少年に及ばなかったのを深く慚ずるのであります。でこういうことは、なにか陥欠があると起こるもので、事件そのものを見るとなんだか生徒だけがわるいようであるが、その真相を極めると責任はかえって学校にあるかもしれない。だから表面上にあらわれたところだけで厳重な制裁を加えるのは、かえって未来のためによくないかとも思われます。かつ少年血気のものであるから活気があふれて、善悪の考えはなく、半ば無意識にこんないたずらをやることはないとも限らん。でもとより処分法は校長のお考えにあることだから、私の容喙する限りではないが、どうかその辺を御斟酌（事情をくみとって）になって、なるべく寛大なお取り計らいを願いたいと思います」

なるほど狸が狸なら、赤シャツも赤シャツだ。生徒があばれるのは、生徒がわるいんじゃない教師が悪いんだと公言している。気狂いが人の頭をなぐりつけるのは、なぐられた人がわるいから、気狂いがなぐるんだそうだ。ありがたい仕合わせだ。活気にみちて困るなら運動場へ出て相撲でも取るがいい、半ば無意識に床の中へバッタを入れられてたまるもんか。この様子じゃ寝首*（九九ページ）をかかれても、半ば無意識だって（だといって）放免するつもりだろう。

おれはこう考えてなにかいおうかなと考えてみたが、いうなら人を驚かすように滔々（よどみなく）と述べたてなくっちゃつまらない、おれの癖として、腹が立ったときに口をきくと、二言か三言で必ず行き塞ってしまう。狸でも赤シャツでも人物からいうと、おれよりも下等だが、弁舌はなかなか達者だから、まずいことをしゃべって揚げ足*（九九ページ）を取られちゃ面白くない。ちょっと腹案（心の中で用意する考え）を作ってみようと、胸のなかで文章を作ってる。すると前にいた野だが突然起立したには驚いた。野だのくせに意見を述べるなんて生意気だ。野だは例のへらへら調で「じつに今回のバッタ事件及び咄喊事件（大声をあげた事件）はわれわれ心ある職員をして、ひそかにわが校将来の前途に危惧（気がかりに思う気持ち）の念をいだかしむるに足る珍事でありまして、われわれ職員たるものはこの際奮って自ら省みて、全校の風紀を振粛しなければなりません。それでただ今校長及び教頭のお述べになったお説は、じつに肯綮にあたった剴切なお考えで私は徹頭徹尾賛成いたします。どうかなるべく寛大の御処分を仰ぎたいと思います」といった。野だのいうことは言語はあるが意味がない、漢語をのべつに陳列するぎりでわけが分からない。分かったのは徹頭徹尾賛成いたしますという言葉だけだ。

おれは野だのいう意味は分からないけれども、なんだか非常に腹が立ったから、腹案もできないうちに立ち上がってしまった。「私は徹頭徹尾反対です……」といったがあとがきゅうに出てこない。「……そんな頓珍漢な、処分は大嫌いです」とつけたら、職員が一同笑いだした。「いったい生徒が全然悪いです。どうしても詫まらせなくっちゃあ、癖になります。退校さしても構いません。……なんだ失敬な、新しくきた教師だと思って……」といって着席した。すると右隣にいる博物が「生徒がわるいことも、わるいが、あまり厳重な罰などをするとかえって反動を起こしていけないでしょう。やっぱり教頭のおっしゃるとおり、寛なほうに賛成します」と弱いことをいった。左隣の漢学は穏便説に賛成といった。歴史も教頭と同説だといった。忌々しい、たいていのものは赤シャツ党だ。こんな連中が寄り合って学校を立てていりゃ世話はない。おれは生

**寝首をかく**（九七ページ）
寝ている人の首を切りとるということから、ゆだんしている人をひどいめにあわせることをいう。

**揚げ足を取る**（九七ページ）
相手のいいそこないにつけこんで、ことばじりをつかまえていじめる。

徒をあやまらせるか、辞職するか二つのうち一つにきめてるんだから、もし赤シャツが勝ちを制したら、さっそくうちへ帰って荷作りをする覚悟でいた。どうせ、こんな手合い（連中）を弁口（演説）で屈伏させる手際（方法）はなし、させたところでいつまで御交際を願うのは、こっちで御免だ。学校にいないとすればどうなったって構うもんか。またなにかいうと笑うにちがいない。だれがいうもんかと澄ましていた。

　すると今までだまって聞いていた山嵐が奮然（ふるいたって）として、起ちあがった。野郎また赤シャツ賛成の意を表するな、どうせ、貴様とは喧嘩だ、勝手にしろと見ていると山嵐は硝子窓を振るわせるような声で「私は教頭及びその他諸君のお説には全然不同意であります。というものはこの事件はどの点から見ても、五十名の寄宿生が新来の教師某氏を軽侮（あなどって）してこれを翻弄（なぶりものにしようと）しようとした所為（しわざ）とよりほかには認められんのであります。教頭はその源因（原因）を教師の人物いかんにお求めになるようでありますが失礼ながらそれは失言かと思います。某氏が宿直にあたられたのは着後早々のことで、まだ生徒に接せられてから二十日満たぬ頃であります。この短い二十日間において生徒は君の学問人物を評価しうる余地がないのであります。軽侮されべき至当（ふさわしい）な理由があって、軽侮を受けたのなら生徒の行為に斟酌を加える理由もありましょうが、なんらの源因もないのに新来の先生を愚弄するような軽薄な生徒を寛仮（寛大にあつかっては）しては学校の威信にかかわることと思います。教育の精神は単に学問を授けるばかりではない、高尚な、正直な、武士的な元気を鼓吹（ふきこむ）すると同時に、野卑な、軽躁（軽はずみな）な、暴慢な悪風を掃蕩（すっかりなくす）するにあると思います。もし反動が恐ろしいの、騒動が大きくなるのと姑息（一時のがれの）なことをいった日にはこの弊風はいつ矯正（悪い習慣をなおせるか）できるかしれません。かかる弊風を杜絶（とだえること）するためにこそわれわれはこの学校に職を奉じているので、これを見のがすくらいなら始めから教師にならんほうがいいと思います。私は以上の理由で寄宿生一同を厳罰に処する上に、当該教師の面前において公に謝罪の意を表せしむるのを至当の所置（ふさわしい処理）と心得ます」といいながら、どんと腰をおろした。一同はだまってなんにもいわない。赤シャツはまたパイプを拭き始めた。おれはなんだか非常に嬉しかった。おれのいおうと思うところをおれの代わりに山嵐がすっかりいってくれたようなものだ。おれはこういう単純な人間だから、今までの喧嘩はまるで忘れて、大いにありがたいという顔をもって、腰をおろした山嵐のほうを見たら、山嵐はいっこう知らん顔をしている。

しばらくして山嵐はまた起立した。「ただ今ちょっと失念（わすれて）して言い落としましたから、申します。当夜の宿直員は宿直中外出して温泉にゆかれたようであるが、あれはもってのほか（とんでもない）のことと考えます。いやしくも（かりにも）自分が一校の留守番を引き受けながら、咎める者のないのを幸いに、場所もあろうに温泉などへ入湯にゆくなどというのは大きな失体（失敗）である。生徒は生徒として、この点については校長からとくに責任者に御注意あらんことを希望します」

妙な奴だ、ほめたと思ったら、あとからすぐ人の失策をあばいている。おれはなんの気もなく、前の宿直が出あるいたことを知って、そんな習慣だと思って、つい温泉までいってしまったんだが、なるほどそういわれてみると、これはおれが悪かった。攻撃されても仕方がない。そこでおれはまた起って「私はまさに宿直中に温泉にゆきました。これはまったくわるい。あやまります」といって着席したら、一同がまた笑いだした。おれがなにかいいさえすれば笑う。つまらん奴らだ。貴様らこれほど自分のわるいことを公にわるかったと断言できるか、できないから笑うんだろう。

それから校長は、もうたいてい御意見もないようでありますから、よく考えたうえで処分しましょうといった。ついでだからその結果をいうと、寄宿生は一週間の禁足(外出させないこと)になったうえに、おれの前へ出て謝罪をした。謝罪をしなければそのとき辞職して帰るところだったがなまじい(そうしなくてよいのに)、おれのいうとおりになったのでとうとうたいへんなことになってしまった。それはあとから話すが、校長はこのとき会議の引き続きだと号して(言って、名づけて)こんなことをいった。生徒の風儀(ぎょうぎ。作法)は、教師の感化で正していかなくてはならん、その一着手(しはじめの一つとして)として、教師はなるべく飲食店などに出入しないことにしたい。もっとも送別会などの節は特別であるが、単独にあまり上等でない場所へゆくのはよしたい――たとえば蕎麦屋だの、団子屋だの――といいかけたらまた一同が笑った。野だが山嵐を見て天麩羅といって目くばせをしたが山嵐は取り合わなかった。いい気味だ。

おれは脳がわるいから、狸のいうことなんか、よく分からないが、蕎麦屋や団子屋へいって、中学の教師が勤まらなくっちゃ、おれみたような食いしんぼうにゃ到底できっこないと思った。それなら、それでいいから、初手(はじめから)から蕎麦と団子の嫌いなものと注文して雇うがいい。だんまり(説明しないで)で辞令を下げておいて、蕎麦を食うな、団子を食うなと罪な御布令を出すのは、おれのようなほかに道楽のないものにとってはたいへんな打撃だ。すると赤シャツがまた口を出した。「元来中学の教師なぞは社会の上流に位するものだからして、単に物質的の快楽ばかり求めるべきものでな

**古池へ蛙が飛び込んだりする**　俳句の名人とうたわれた松尾芭蕉の句「古池や　蛙飛び込む水の音」をさす。ここでは俳句をよむことをいう。

い。そのほうに耽る(むちゅうになる)とつい品性にわるい影響を及ぼすようになる。しかし人間だから、なにか娯楽がないと、田舎へきて狭い土地では到底暮らせるものではない。それで釣りにゆくとか、文学書を読むとか、または新体詩や俳句を作るとか、なんでも高尚な(上品な)精神的娯楽を求めなくってはいけない……」

だまって聞いていると勝手な熱を吹く。沖へいって肥料を釣ったり、ゴルキが露西亜の文学者だったり、なじみの芸者が松の木の下に立ったり、*古池へ蛙が飛び込んだりするのが精神的娯楽なら、天麩羅を食って団子を飲み込むのも精神的娯楽だ。そんな下さらない(つまらぬ)娯楽を授けるより赤シャツの洗濯でもするがいい。あんまり腹が立ったから「マドンナに逢うのも精神的娯楽ですか」と聞いてやった。すると今度はだれも笑わない。妙な顔をして互いに眼と眼を見合わせている。赤シャツ自身は苦しそうに下を向いた。それ見ろ。利いたろう。ただ気の毒だったのはうらなり君で、おれが、こういったら蒼い顔をますます蒼くした。

## 七

おれは即夜（その日の夜）下宿を引き払った。宿へ帰って荷物をまとめていると、女房がなにか不都合でもございましたか、お腹の立つことがあるなら、いっておくれたら改めますという。どうも驚く。世の中にはどうして、こんな要領を得ない者ばかり揃ってるんだろう。出てもらいたいんだか、いてもらいたいんだか分かりゃしない。まるで気狂いだ。こんな者を相手に喧嘩をしたって江戸っ子の名折れだから、車屋をつれてきてさっさと出てきた。

出たことは出たが、どこへゆくというあてもない。車屋が、どちらへ参りますというから、だまって尾いてこい、今にわかる、といって、すたすたやってきた。面倒だから山城屋へいこうかとも考えたが、また出なければならないから、つまり手数だ。こうしてあるいてるうちには下宿とか、なんとか看板のあるうちを目付けだす（みつけだす）だろう。そうしたら、そこが天意（神さまがきめられた）にかなったわが宿ということにしよう。とぐるぐる、閑静で住みよさそうなところをあるいているうち、とうとう鍛冶屋町へ出てしまった。ここは士族屋敷で下宿屋などのある町ではないから、もっとにぎやかなほうへ引き返そうかとも思ったが、ふといいことを考えついた。おれが敬愛するうらなり君はこの町内に住んでいる。うらなり君は土地の人で先祖代々の屋敷を控え（もっている）ているくらいだから、この辺の事情には通じているに相違ない。あの人を尋ねて聞いたら、よさそうな下宿を教えてくれるかもしれない。幸い一度挨拶にきて勝手は知ってるから、捜してあるく面倒はない。ここだろうと、いい加減に見当をつけて、御免御免（ごめんください）と二へんばかりいうと、奥から五十ぐらいな年寄りが古風な*紙燭（一〇七ページ）をつけて、出てきた。おれは若い女も嫌いではないが、年寄りを見るとなんだかなつかしい心持ちがする。おおかた清がすきだから、その魂が方々のお婆さんに乗り移るんだろう。これはおおかたうらなり君の御母さんだろう、*切り下げ（一〇七ページ）の品格のある婦人だが、よくうらなり君に似ている。まあお上がりというところを、ちょっとお目にかかりたいからと、主人を玄関まで呼び出してじつはこれこれだが君どこか心当たりはありませんかと尋ねてみた。うらなり先生それはさぞお困りでございましょう、としばらく考えていたが、この裏町に萩野といって老人夫婦ぎりで暮らしているものがある、いつぞや（いつだったか）座敷を明けておいても無駄だから、たしかな人があるなら貸してもいいから周旋してくれと頼んだことがある。今でも貸すかどうか分からんが、まあいっしょにいって聞いてみましょうと、親切に連れていってくれた。

その夜から萩野の家の下宿人となった。驚いたのは、おれがいか銀の座敷を引き払うと、あくる日から入れ違いに野だが平気な顔をして、おれのいた部屋を占領したことだ。さすがのおれもこれにはあきれた。世の中はいかさま師（さぎ師）ばかりで、お互いに乗せっこ（だましあい）をしているのかもしれない。いやになった。

世間がこんなものなら、おれも負けない気で、世間並にしなくちゃ、遣り切れないわけになる。巾着切り（すり）の上前（人の取り分の一部を自分のものにしなければ）をはねなければ三度の御膳がいただけないと、事がきまればこうして、生きてるのも考えものだ。といってぴんぴんした達者なからだで、首をくくっちゃ先祖へ済まないうえに、外聞（評判）が悪い。考えると物理学校などへはいって、数学なんて役にも立たない芸を覚えるよりも、六百円を資本にして牛乳屋でも始めればよかった。そうすれば清もおれのそばを離れずに済むし、おれも遠くから婆さんのことを心配しずに暮らされる。いっしょにいるうちは、そうでもなかったが、こうして田舎へきてみると清はやっぱり善人だ。あんな気立てのいい女は日本中さがしてあるいたってめったにはない。婆さん、おれの立つときに、少々風邪をひいていたが今頃はどうしてるかしらん。せんだって（このあいだ）の手紙を見たらさぞ喜んだろう。それにしても、もう返事がきそうなものだが――おれはこんなことばかり考えて二、三日暮らしていた。

**紙燭**（一〇五ページ）
紙をよって太く作り、油にひたして火をともすあかり。

**切り下げ**（一〇五ページ）
髪の毛のはしを首のあたりで切りそろえた髪型で、むかし未亡人などに多くみられた。

**士族**
明治のはじめ、維新前の武士の家柄のものに与えた族称。平民の上に位したが、法律上の特典はなかった。

気になるから、宿のお婆さんに、東京から手紙はきませんかとときどき尋ねてみるが、聞くたんびになんにも参りませんと気の毒そうな顔をする。ここの夫婦はいか銀とは違って、もとが＊士族だけに双方とも上品だ。爺さんが夜になると、へんな声を出して謡（能楽の歌詞）をうたうには閉口するが、いか銀のようにお茶を入れましょうと無暗に出てこないから大きに（たいへん）楽だ。お婆さんはときどき部屋へきていろいろな話をする。どうして奥さんをお連れなさって、いっしょにおいでなんだのぞなもしなどと質問をする。奥さんがあるように見えますかね。可哀想にこれでもまだ二十四ですぜといったらそれでも、あなた二十四で奥さんがおありなさるのは当たり前ぞなもしと冒頭を（話のはじまりとして）置いて、どこのだれさんは二十でお嫁をおもらいたの（おもらいになったの）、どこのなんとかさんは二十二で子供を二人お持ちたのと、なんでも例を半ダースばかり挙げて反駁（反論）を試みたには恐れ入った。それじゃ僕も二十四でお嫁をおもらいるけれ、世話をしておくれんかなと田舎言葉をまねて頼んでみたら、お婆さん正直に本当かなもしと聞いた。

「本当の本当のって僕あ、嫁がもらいたくって仕方がないんだ」

「そうじゃろうがな、もし。若いうちはだれもそんなものじゃけれ」この挨拶には痛み入って(おそれいって)返事ができなかった。

「しかし先生はもう、お嫁がおありなさるにきまっとらい。わたしはちゃんと、もう、睨らんどる(見ぬいている)ぞなもし」

「へえ、活眼(物事をはっきり見ぬく目)だね。どうして、睨らんどるんですか」

「どうしてて。東京から便りはないか、便りはないかてて、毎日便りを待ち焦がれておいでるじゃないかなもし」

「こいつあ驚いた。たいへんな活眼だ」

「あたりましたろうがな、もし」

「そうですね。あたったかもしれませんよ」

「しかし今時の女子は、昔とちごうて油断ができんけれ、お気をおつけたがええぞなもし」

「なんですかい、僕の奥さんが東京で間男でもこしらえていますかい」

「いいえ、あなたの奥さんはたしかじゃけれど……」

「それで、やっと安心した。それじゃなにを気をつけるんですい」

「あなたのはたしか――あなたのはたしかじゃが――」

「どこに不たしかなのがいますかね」

「ここらにもだいぶおります。先生、あの遠山のお嬢さんを御存じかなもし」

「いいえ、知りませんね」

「まだ御存じないかなもし。ここらであなた一番の別嬪さん（美人）じゃがなもし。あまり別嬪さんじゃけれ、学校の先生がたはみんなマドンナマドンナというといでるぞなもし。まだお聞きんのかなもし」

「うん、マドンナですか。僕あ芸者の名かと思った」

「いいえ、あなた。マドンナというと唐人の言葉で、別嬪さんのことじゃろうがなもし」

「そうかもしれないね。驚いた」

「おおかた画学の先生がお付けた名ぞなもし」

「野だがつけたんですかい」

「いいえ、あの吉川先生がお付けたのじゃがなもし」

「そのマドンナが不たしかなんですかい」

「そのマドンナさんが不たしかなマドンナさんでな、もし」

「厄介だね。渾名の付いてる女にゃ昔から碌なものはいませんからね。そうかもしれませんよ」

「本当にそうじゃなもし。*鬼神のお松じゃの、妲妃のお百じゃのてて怖い女がおりましたなもし」

「マドンナもその同類なんですかね」

「そのマドンナさんがなもし、あなた。そらあの、あなたをここへ世話をしておくれた古賀先生なもし――あのかたのところへお嫁にゆく約束ができていたのじゃがなもし――」

「へえ、不思議なもんですね。あのうらなり君が、そんな艶福（女性にもてる）のある男とは思わなかった。人は見かけによらないものだな。ちっと気をつけよう」

「ところが、去年あすこのお父さんが、お亡くなりて、――それまではお金もあるし、銀行の株も持っておいでるし、万事都合がよかったのじゃが――それからというものは、どういうものかきゅうに暮らし向きが思わしくなって（うまくいかなくなって）――つまり古賀さんがあまりお人がよすぎるけれ、おだまされたんぞなもし。それや、これやでお輿入れ（結婚）の延びているところへ、あの教頭さんがおい鬼神のお松じゃの、妲妃のお百じゃの　ともに歌舞伎のヒロインで、有名な女賊。


でて、ぜひお嫁にほしいとお言いるのじゃがなもし」

「あの赤シャツがですか。ひどい奴だ。どうもあのシャツはただのシャツじゃないと思ってた。それから？」

「人を頼んで掛け合うて（交渉して）おみると、遠山さんでも古賀さんに義理があるから、すぐには返事はできかねて――まあよう考えてみようぐらいの挨拶をおしたのじゃがなもし。すると赤シャツさんが、手蔓を求めて（つてをたよって）遠山さんのほうへ出入りをおしるようになって、とうとうあなた、お嬢さんを手馴ずけて（なつかせて味方にひきいれて）おしまいたのじゃがなもし。赤シャツさんも赤シャツさんじゃが、お嬢さんもお嬢さんじゃてて、みんなが悪くいいますのよ。いったん古賀さんへ嫁にゆくてて承知をしときながら、今さら学士さんがおいでたけれ、そのほうに替えよてて、それじゃ今日様（今日を守る神。おてんとさま）へ済むまいがなもし、あなた」

「まったく済まないね。今日様どころか明日様にも後明日様にも、いつまでいったって済みっこありませんね」

「それで古賀さんにお気の毒じゃてて、お友達の堀田さんが教頭のところへ意見をしにお行きたら、赤シャツさんが、あし（私は）は約束のあるものを横取りするつもりはない。破約（約束がこわれること）になればもらうかもしれんが、今のところは遠山家とただ交際をしているばかりじゃ、遠山家と交際をするには別段古賀さんに済まんこともなかろうとお言いるけれ、堀田さんも仕方がなしにお戻りたそうな。赤シャツと堀田さんは、それ以来折り合い（人とのなか）がわるいという評判ぞなもし」

「よくいろいろなことを知ってますね。どうして、そんな詳しいことが分かるんですか。感心しちまった」

「狭いけれなんでも分かりますぞなもし」

分かりすぎて困るくらいだ。この容子じゃおれの天麩羅や団子のことも知ってるかもしれない。厄介なところだ。しかしおかげさまでマドンナの意味もわかるし、山嵐と赤シャツの関係もわかるし大いに後学（のちに自分のためになること）になった。ただ困るのはどっちが悪者だか判然しない。おれのような単純なものには白とか黒とか片づけてもらわないと、どっちへ味方をしていいか分からない。

「赤シャツと山嵐たあ、どっちがいい人ですかね」

「山嵐てなんぞなもし」

「山嵐というのは堀田のことですよ」

「そりゃ強いことは堀田さんのほうが強そうじゃけれど、しかし赤シャツは学士さんじゃけれ、働きはあるかたぞな、もし。それから優しいことも赤シャツさんのほうが優しいが、生徒の評判は堀田さんのほうがええというぞなもし」

「つまりどっちがいいんですかね」

「つまり月給の多いほうがえらいのじゃろうがなもし」

これじゃ聞いたって仕方がないから、やめにした。それから二、三日して学校から帰るとお婆さんがにこにこして、へえお待ち遠さま。やっと参りました。と一本の手紙を持ってきてゆっくり御覧といって出ていった。取りあげてみると清からの便りだ。符箋（注意・疑問の点などを書いてはりつける紙）が二、三枚ついてるから、よく調べると、山城屋から、いか銀のほうへ回して、いか銀から、萩野へ回ってきたのである。そのうえ山城屋では一週間ばかり逗留（しばらくとどまること）している。宿屋だけに手紙まで泊めるつもりなんだろう。開いてみると、非常に長いもんだ。坊っちゃんの手紙を頂いてから、すぐ返事をかこうと思ったが、あいにく風邪をひいて一週間ばかり寝ていたものだから、つい遅くなって済まない。そのうえ今時のお嬢さんのように読み書きが達者（うまい）でないものだから、こんなまずい字でも、かくのによっ

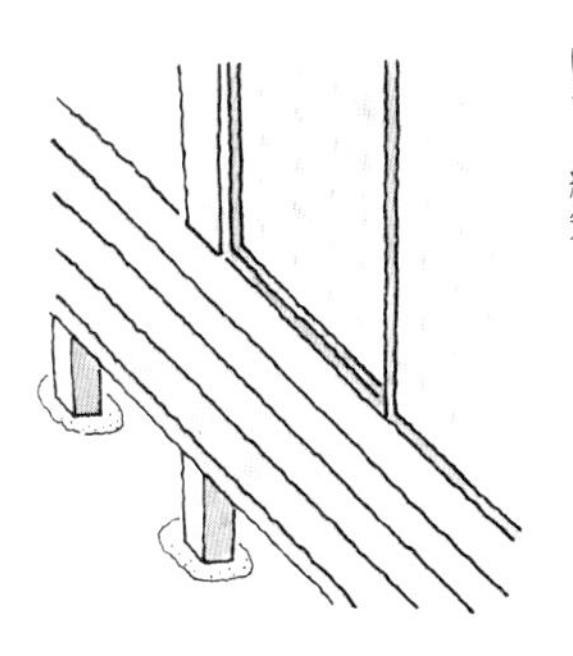

**椽鼻**　日本の家屋の中で、部屋の外がわにある細長い板敷きのはしをいう。縁先。

ぽど骨が折れる。甥に代筆（本人のかわりに書くこと）を頼もうと思ったが、せっかくあげるのに自分でかかなくっちゃ、坊っちゃんに済まないと思って、わざわざ下書きを一ぺんして、それから清書をした。清書をするには二日で済んだが、下書きをするには四日かかった。読みにくいかもしれないが、これでも一生懸命にかいたのだから、どうぞしまいまで読んでくれ。という冒頭で四尺（やく百二十センチ）ばかり何やらかやら認め（書きしるしてある）てある。なるほど読みにくい。字がまずいばかりではない、たいてい平仮名だから、どこで切れて、どこで始まるのだか句読（句読点。、や。のこと）をつけるのによっぽど骨が折れる。おれはせっかちな性分だから、こんな長くて、分かりにくい手紙は五円やるから読んでくれと頼まれても断るのだが、このときばかりは真面目になって、始めからしまいまで読み通した。読み通したことは事実だが、読むほうに骨が折れて、意味がつながらないから、また頭から読み直してみた。部屋のなかは少し暗くなって、前のときより見にくく、なったから、とうとう*椽鼻へ出て腰をかけながら鄭寧に拝見した。すると初秋の風が芭蕉の葉を動かして、素肌に吹きつけた帰りに、読みかけた手紙を庭のほうへなびかしたから、しまいぎわには四尺あまりの半切れ（巻き紙）がさらりさらりと鳴って、手を放すと、向こうの生け垣まで飛んでゆきそうだ。おれはそんなことには構っていられない。坊っちゃんは竹を割った（さっぱりした）ような気性だが、ただ肝癪が強すぎてそれが心配になる。――ほかの人に無暗に渾名なんか、つけるのは人に恨まれるもとになるから、やたらに使っちゃいけない。もしつけたら、清だけに手紙で知らせろ。――田舎者は人がわるいそうだから、気をつけてひどい目に遭わないようにしろ。――気候だって東京より不順（順調でない）にきまってるから、寝冷えをして風邪をひいてはいけない。坊っちゃんの手紙はあまり短すぎて、容子がよくわからないから、この次にはせめてこの手紙の半分ぐらいの長さのを書いてくれ。――宿屋へ茶代を五円やるのはいいが、あとで困りゃしないか、田舎へいって頼りになるはお金ばかりだから、なるべく倹約して、万一のときに差し支えないようにしなくっちゃいけない。――お小遣いがなくて困るかもしれないから、為替で十円あげる。――せんだって（このあいだ）坊っちゃんからもらった五十円を、坊っちゃんが、東京へ帰って、うちを持つときの足しにと思って、郵便局へ預けておいたが、この十円を引いてもまだ四十円あるから大丈夫だ。――なるほど女というものは細かいものだ。

おれが椽鼻で清の手紙をひらつかせながら、考え込んでいると、しきりの襖をあけて、萩野のお婆さんが晩めしを持ってきた。まだ見ておいでるのかなもし。えっぽど（よほど）長いお手紙じゃなもし、といったから、ええ大事な手紙だから風に吹かしては見、吹かしては見るんだと、自分でも要領を得ない返事をして膳についた。見ると今夜もさつま芋の煮つけだ。ここのうちは、いか銀よりも鄭寧で、親切で、しかも上品だが、惜しいことに食い物がまずい。きのうも芋、おとといも芋で今夜も芋だ。おれは芋は大好きだと明言（はっきりと言った）したには相違ないが、こう立てつづけに芋を食わされては命がつづかない。うらなり君を笑うどころか、おれ自身が遠からぬうちに、芋のうらなり先生になっちまう。清ならこんなときに、おれの好きな鮪のさし身か、蒲鉾のつけ焼きを食わせるんだが、貧乏士族のけちん坊ときちゃ仕方がない。どう考えても清といっしょでなくっちゃあ駄目だ。もしあの学校に長くでもいる模様なら、東京から呼び寄せてやろう。天麩羅蕎麦を食っちゃならない、団子を食っちゃならない、それで下宿にいて芋ばかり食って黄色くなっていろなんて、教育者はつらいものだ。禅宗坊主だって、これよりは口に栄耀（ぜいたく）をさせているだろう。——おれは一皿の芋を平らげて、机の抽斗から生卵を二つ出して、茶碗の縁でたたき割って、ようやく凌いだ（がまんした）。生卵ででも営養（栄養）をとらなくっちゃあ一週二十一時間の授業ができるものか。

きょうは清の手紙で湯にゆく時間が遅くなった。しかし毎日ゆきつけたのを一日でも欠かすのは心持ちがわるい。汽車にでも乗って出かけようと、例の赤手拭いをぶらさげて停車場までくると二、三分前に発車したばかりで、少々待たなければならぬ。ベンチへ腰を懸けて、敷島（当時、人気のあったたばこ）を吹かしていると、偶然にもうらなり君がやってきた。おれはさっきの話を聞いてから、うらなり君がなおさら気の毒になった。ふだんから天地の間に居候（人の家に住んで食べさせてもらうこと）をしているように、小さく構えているのがいかにも憐れに見えたが、今夜は憐れどころの騒ぎではない。できるならば月給を倍にして、遠山のお嬢さんとあしたから結婚さして、一ケ月ばかり東京へでも遊びにやってやりたい気がした矢先だから、やお湯ですか、さあ、こっちへお懸けなさいと威勢よく席を譲ると、うらなり君は恐れ入った体裁で、いえ構うておくれなさるな、と遠慮だかなんだかやっぱり立ってる。少し待たなくっちゃ出ません、くたびれますからお懸けなさいとまた勧めてみた。じつはどうかして、そばへ懸けてもらいたかったくらいに気の毒でたまらない。それではお邪魔をいたしましょうとようやくおれのいうことを聞いてくれた。世の中には野だみたよう（みたいに）に生意気な、出ないで済むところへ必ず顔を出す奴もいる。山嵐のようにおれがいなくっちゃ日本が困るだろうというような面を肩の上へ載せてる奴もいる。そうかと思うと、赤シャツのようにコスメチック（頭髪をかためるための化粧品）と色男の問屋

をもって自ら任じているのもある。教育が生きてフロックコート＊（一二三ページ）を着ればおれになるんだといわぬばかりの狸もいる。皆々それ相応に威張ってるんだが、このうらなり先生のように在れどもなきが如く（いるのに、まるでいないみたいに）、人質に取られた人形のようにおとなしくしているのは見たことがない。顔はふくれているが、こんな結構な男を捨てて赤シャツに靡く（心をよせる）なんて、マドンナもよっぽど気の知れないおきゃん（はすっぱ。おてんば）だ。赤シャツが何ダース寄ったって、これほど立派な旦那様ができるもんか。

「あなたはどっか悪いんじゃありませんか。だいぶたいぎそうに（つかれているように）見えますが……」

「いえ、別段これという持病もないですが……」

「そりゃ結構です。からだが悪いと人間も駄目ですね」

「あなたはだいぶ御丈夫のようですな」

「ええやせても病気はしません。病気なんてものあ大嫌いですから」

うらなり君は、おれの言葉を聞いてにやにやと笑った。

ところへ入り口で若々しい女の笑い声が聞こえたから、何心なく（なんの気もなく）振り返って見るとえらい奴がきた。色の白い、ハイカラ頭の、背の高い美人と、四十五、六の奥さんとが並んで切符を売る窓の前に立っている。おれは美人の形容などができる男でないからなんにもいえないがまったく美人に相違ない。なんだか水晶の珠を香水で暖ためて、掌へ握ってみたような心持ちがした。年寄りのほうが背は低い。しかし顔はよく似ているから親子だろう。おれは、や、きたなと思うとたんに、うらなり君のことは全然忘れて、若い女のほうばかり見ていた。すると、うらなり君が突然おれの隣から、立ちあがって、そろそろ女のほうへあるきだしたんで、少し驚いた。マドンナじゃないかと思った。三人は切符所の前で軽く挨拶している。遠いからなにをいってるのか分からない。

停車場の時計を見るともう五分で発車だ。早く汽車がくればいいがなと、話し相手がいなくなったので待ち遠しく思っていると、また一人あわてて場内へ駆け込んできたものがある。見れば赤シャツだ。なんだかべらべら(うすくてなよなよした)然たる着物へ*縮緬の帯をだらしなく巻きつけて、例のとおり金鎖をぶらつかしている。あの金鎖は贋物である。赤シャツはだれも知るまいと思って、見せびらかしているが、おれはちゃんと知ってる。赤シャツは駆け込んだなり、なにかきょろきょろしていたが、切符売下所(切符売り場。切符所と同じ)の前に話している三人へ慇懃(ていねいに)にお辞儀をして、なにか二こと、三こと、いったと思ったら、きゅうにこっちへ向いて、例のごとく猫足(音をさせない歩き方)にあるいてきて、や君も湯ですか、僕は乗り後れやしないかと思って心配して急いできたら、まだ三、四分ある。あの時計はたしかかしら

**フロックコート**（一二一ページ）男性用の昼の正式礼服。上着は黒地で、たけはひざまであり、えりには絹を用いる。ズボンはしまものを用いる。現在はあまり使われない。

**縮緬** たて糸によりのない生糸、よこ糸によりの強い生糸を使って織り、ちぢませた織物。

んと、自分の金側（外側を金でつくった懐中時計）を出して、二分ほどちがってるといいながら、おれのそばへ腰をおろした。女のほうはちっとも見返らないで杖の上へあごをのせて、正面ばかり眺めている。年寄りの婦人はときどき赤シャツを見るが、若いほうは横を向いたままである。いよいよマドンナにちがいない。

やがて、ピューと汽笛が鳴って、車がつく。待ち合わせた連中はぞろぞろ吾れ勝ち（先をあらそって）に乗り込む。赤シャツはいの一号（さいしょに）に上等へ飛び込んだ。上等へ乗ったって威張れるどころではない。住田まで上等が五銭で下等が三銭だから、わずか二銭違いで上下の区別がつく。こういうおれでさえ上等を奮発して白切符（上等の乗車券）を握ってるんでもわかる。もっとも田舎者はけちだから、たった二銭の出入りでもすこぶる苦になると見えて、たいていは下等へ乗る。赤シャツのあとからマドンナとマドンナの御袋が上等へはいり込んだ。うらなり君は活版で押したように（いつもいつも）下等ばかりへ乗る男だ。先生、下等の車室の入り口へ立って、なんだか躊躇の体であったが、おれの顔を見るや否や思い切って、飛び込んでしまった。おれはこのときなんとなく気の毒でたまらなかったから、うらなり君のあとから、すぐ同じ車室へ乗り込んだ。上等の切符で下等へ乗るに不都合はなかろう。

温泉へ着いて、三階から、浴衣のなりで温壺へおりてみたら、またうらなり君に逢った。おれは会議やなにかでいざときまると、咽喉が塞がってしゃべれない男だが、平常はずいぶん弁ずるほうだから、いろいろ湯壺のなかでうらなり君に話しかけてみた。なんだか憐れぽくってたまらない。こんなときに一口でも先方の心を慰めてやるのは、江戸っ子の義務だと思ってる。ところがあいにくうらなり君のほうでは、うまい具合にこっちの調子に乗ってくれない。なにをいっても、え、とかいえとかぎりで、しかもそのえといいえがだいぶ面倒らしいので、しまいにはとうとう切りあげて、こっちから御免こうむった。

湯の中では赤シャツに逢わなかった。もっとも風呂の数はたくさんあるのだから、同じ汽車で着いても、同じ湯壺で逢うとはきまっていない。別段不思議にも思わなかった。風呂を出てみるといい月だ。町内の両側に柳が植わって、柳の枝が丸い影を往来の中へ落としている。少し散歩でもしよう。北へ登って町のはずれへ出ると、左に大きな門があって、門の突き当たりがお寺で、左右が妓楼（遊廓と同じ。男の人があそぶ所）である。山門のなかに遊廓があるなんて、前代未聞（これまで聞いたこともないほどめずらしい）の現象だ。ちょっとはいってみたいが、また狸から会議のときにやられるかもしれないから、やめて素通り（立ちよらずに通りすぎること）にした。門の並びに黒い暖簾をかけた、小さな格子窓＊（一二七ページ）の平屋（二階のない家）はおれが団子を食って、しくじったところだ。丸提灯に汁粉、お雑煮とかいたのがぶらさがって、提灯の火が、軒端（ひさしの先）に近い一本の柳の幹を照らしている。食いたいなと思ったが我慢して通り過ぎた。

食いたい団子の食えないのは情けない。しかし自分の許嫁（婚約者。フィアンセ）が他人に心を移したのは、なお情けないだろう。うらなり君のことを思うと、団子はおろか、三日ぐらい断食しても不平はこぼせないわけだ。本当に人間ほど宛にならないものはない。あの顔を見ると、どうしたって、そんな不人情なことをしそうには思えないんだが――うつくしい人が不人情で、冬瓜（食用にするうり科の植物。とうが）の水ぶくれのような古賀さんが善良な君子なのだから、油断ができない。淡白だと思った山嵐は生徒を煽動したというし。生徒を煽動したのかと思うと、生徒の処分を校長に迫るし。厭味で練りかためたような赤シャツが存外親切（意外にも）で、おれによそながら注意をしてくれるかと思うと、マドンナをごまかしたり。ごまかしたのかと思うと、古賀のほうが破談（決まった縁談をとりけすこと）にならなければ結婚は望まないんだというし。いか銀が難癖をつけて、おれを追い出すかと思うと、すぐ野だ公が入れ替わったり――どう考えても宛にならない。こんなことを清にかいてやったら定め（きっと）て驚くことだろう。箱根の向こうだから化け物が寄り合ってるんだというかもしれない。

おれは、性来（生まれつき。せいらい）構わない性分だから、どんなことでも苦にしないで今日まで凌いできたのだが、ここへきてからまだ一ケ月たつか、たたないうちに、きゅうに世のなかを物騒に思いだした。別段きわだった大事件にも出逢わないのに、もう五つ六つ年を取ったような気がする。早く切りあげて東京へ帰るのがいちばんよかろう。などとそれからそれへ考えて、いつか石橋を渡って*野芹川の堤へ出た。川というとえらそうだがじつは一間（やく百八十センチ）ぐらいな、ちょろちょろした流れで、土手に沿うて十二丁（やく千二百メートル）ほど下ると相生村へ出る。村には観音様がある。

温泉の町を振り返ると、赤い灯が、月の光の中にかがやいている。太鼓が鳴るのは遊廓に相違ない。川の流れは浅いけれども早いから、神経質の水のようにやたらに光る。ぶらぶら土手の上をあるきながら、約三丁もきたと思ったら、向こうに人影が見えだした。月に透かして見ると影は二つある。温泉へきて村へ帰る若い衆かもしれない。それにしては唄もうたわない。存外静かだ。

だんだんあるいてゆくと、おれのほうが早足だと見えて、二つの影法師が、次第に大きくなる。

**格子窓**（一二五ページ）
細い角材をたてよこに間をすかして組んだものをとりつけてある窓。

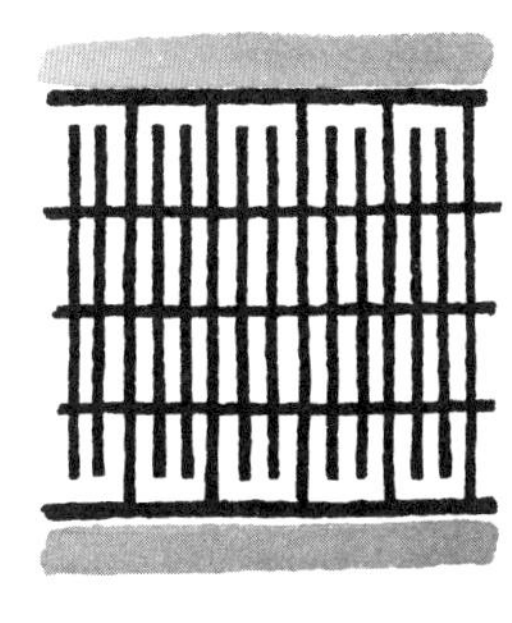

**野芹川**
実際には、道後温泉近くの御手洗川のこと。

一人は女らしい。おれの足音を聞きつけて、十間ぐらいの距離に迫ったとき、男がたちまち振り向いた。月は後ろからさしている。そのときおれは男の様子を見て、はてなと思った。男と女はまた元のとおりにあるきだした。おれは考えがあるから、きゅうに全速力で追っかけた。先方はなんの気もつかずに最初のとおり、ゆるゆる歩を移して（あるいて）いる。今は話し声も手に取るように聞こえる。土手の幅は六尺（百八十センチあまり）ぐらいだから、並んでゆけば三人がようやくだ。おれは苦もなく後ろから追いついて、男の袖を擦り抜けざま、二足前へ出した踵（かかと）をぐるりと返して男の顔を覗き込んだ。月は正面からおれの五分刈りの頭からあごの辺りまで、会釈もなく（えんりょなく）照らす。男はあっと小声にいったが、きゅうに横を向いて、もう帰ろうと女を促すが早いか（いそがせるとすぐに）、温泉の町のほうへ引き返した。

赤シャツは図太くてごまかすつもりか、気が弱くて名乗りそくなったのかしら。所が狭くて困ってるのは、おればかりではなかった。

## 八

赤シャツに勧められて釣りにいった帰りから、山嵐を疑ぐりだした。ないことを種に下宿を出ろといわれたときは、いよいよ不埒（けしからん）な奴だと思った。ところが会議の席では案に相違（予想とちがって）して滔々と生徒厳罰論を述べたから、おや変だなと首をひねった。萩野の婆さんから、山嵐が、うらなり君のために赤シャツと談判をしたと聞いたときは、それは感心だと手を拍った。この様子ではわる者は山嵐じゃあるまい、赤シャツのほうが曲がってるんで、いい加減な邪推（事実をゆがめて悪く考えること）をまことしやかに、しかも遠回しに、おれの頭の中へ浸み込ましたのではあるまいかと迷ってる矢先へ、野芹川の土手で、マドンナを連れて散歩なんかしている姿を見たから、それ以来赤シャツは曲者（ひとくせある者）だときめてしまった。曲者だかなんだかよくは分からないが、ともかくも善い男じゃない。表と裏とはちがった男だ。人間は竹のように真っ直でなくっちゃたのもしくない。真っ直なものは喧嘩をしても心持ちがいい。赤シャツのようなやさしいのと、親切なのと、高尚なのと、琥珀のパイプとを自慢そうに見せびらかすのは油断ができない、めったに喧嘩もできないと思った。喧嘩をしても、*回向院の相撲（二三一ページ）のような心持ちのいい喧嘩はできないと思った。そうなると一銭五厘の出入りで控え所全体を驚かした議論の相手の山嵐のほうがはるかに人間らしい。会議のときに金壺眼（落ちくぼんだまるい目）をぐりつかせて、おれをにらめたときは憎い奴だと思ったが、あとで考えると、それも赤シャツのねちねちした猫撫で声（人のきげんをとろうとして出す、やさしくあまえるような声）よりはましだ。じつはあの会議が済んだあとで、よっぽど仲直りをしようかと思って、一こと二こと話しかけてみたが、野郎返事もしないで、まだ眼を剝って（むいて）みせたから、こっちも腹が立ってそのままにしておいた。

それ以来山嵐はおれと口をきかない。机の上へ返した一銭五厘はいまだに机の上に乗っている。ほこりだらけになって乗っている。おれは無論手が出せない、山嵐はけっして持って帰らない。この一銭五厘が二人の間の墻壁（かきね。かべ）になって、おれは話そうと思っても話せない、山嵐は頑として（かたくなに）黙ってる。おれと山嵐には一銭五厘がたたった。しまいには学校へ出て一銭五厘を見るのが苦になった。

山嵐とおれが絶交の姿となったに引きかえて、赤シャツとおれは依然として在来（いままで通りの）の関係を保って、交際をつづけている。野芹川で逢った翌日などは、学校へ出ると第一番におれのそばへきて、君今度の下宿はいいですかのまたいっしょに露西亜文学を釣りにゆこうじゃないかのといろいろなことを話しかけた。おれは少々憎らしかったから、昨夕は二へん逢いましたねといったら、ええ停車場で——君はいつでもあの時分出かけるのですか、遅いじゃないかという。野芹川の土手でもお目にかかりましたねと食らわしてやったら、いいえ僕はあっちへはゆかない、湯にはいって、すぐ帰ったと答えた。なにもそんなに隠さないでもよかろう、現に逢ってるんだ。よく嘘をつく男だ。これで中学の教頭が勤まるなら、おれなんか大学総長がつとまる。おれはこのときからいよいよ赤シャツを信用しなくなった。信用しない赤シャツとは口をきいて、感心している山嵐とは話をしない。世の中はずいぶん妙なものだ。

ある日のこと赤シャツがちょっと君に話があるから、僕のうちまできてくれというから、惜しいと思ったが温泉ゆきを欠勤して四時ごろ出かけていった。赤シャツは一人ものだが、教頭だけに下宿はとく(とっくの)の昔に引き払って立派な玄関を構えている。家賃は九円五拾銭だそうだ。田舎へきて九円五拾銭払えばこんな家へはいれるなら、おれも一つ奮発して、東京から清を呼び寄せて喜ばしてやろうと思ったくらいな玄関だ。頼む(案内をこうときのことば。たのもう)といったら、赤シャツの弟が取り次ぎに出てきた。この弟は学校で、おれに*代数と算術を教わる至って出来のわるい子だ。そのくせ渡り(ほかの土地からきた者)ものだから、生まれついての田舎者よりも人が悪い。

**回向院の相撲**（一二八ページ）現在の相撲の起源。墨田区東両国の回向院で、明暦の大火の犠牲者をとむらうために勧進相撲がおこなわれるようになった。

**代数**　数のかわりに文字を記号として、数の関係・性質を研究する学問。

赤シャツに逢って用事を聞いてみると、大将（相手をからかってよぶ）例の琥珀のパイプで、きな臭い煙草をふかしながら、こんなことをいった。「君がきてくれてから、前任者の時代よりも成績がよくあがって、校長も大いにいい人を得たと喜んでいるので——どうか学校でも信頼しているのだから、そのつもりで勉強していただきたい」

「へえ、そうですか、勉強って今より勉強はできませんが——」

「今のくらいで充分です。ただせんだってお話ししたことですね、あれを忘れずにいてくだされぱいいのです」

「下宿の世話なんかするものあ剣呑（あぶない。危険）だということですか」

「そう露骨（あからさまに）にいうと、意味もないことになるが——まあいいさ——精神は君にもよく通じていることと思うから。そこで君が今のように出精（努力すること）してくだされば、学校のほうでも、ちゃんと見ているんだから、もう少しして都合さえつけば、待遇のことも多少はどうにかなるだろうと思うんですがね」

「へえ、俸給（給料）ですか。俸給なんかどうでもいいんですが、上がれば上がったほうがいいですね」

「それで幸い今度転任者が一人できるから——もっとも校長に相談してみないと無論受け合えないことだが——その俸給から少しは融通（やりくりできる。お金をまわせる）ができるかもしれないから、それで都合をつけるように校長に話してみようと思うんですがね」

「どうもありがとう。だれが転任するんですか」

「もう発表になるから話しても差し支えないでしょう。じつは古賀君です」

「古賀さんは、だってここの人じゃありませんか」

「ここの地の人（土地の人）ですが、少し都合があって——半分は当人の希望です」

「どこへゆくんです」

「日向の＊延岡（一四三ページ）で——土地が土地だから一級俸（一ランク上の給料）上がってゆくことになりました」

「だれか代わりがくるんですか」

「代わりもたいていきまってるんです。その代わりの具合で君の待遇上の都合もつくんです」

「はあ、結構です。しかし無理に上がらないでも構いません」

「ともかくも僕は校長に話すつもりです。それで校長も同意見らしいが、追っては君にもっと働いていただかなくってはならんようになるかもしれないから、どうか今からそのつもりで覚悟をしてやってもらいたいですね」

「今より時間でも増すんですか」

「いいえ、時間は今より減るかもしれませんが――」

「時間が減って、もっと働くんですか、妙だな」

「ちょっと聞くと妙だが、――判然とは今いいにくいが――まあつまり、君にもっと重大な責任を持ってもらうかもしれないという意味なんです」

おれには一向（まったく）分からない。今より重大な責任といえば、数学の主任だろうが、主任は山嵐だから、やっこさんなかなか辞職する気遣い（心配。おそれ）はない。それに、生徒の人望があるから転任や免職は学校の得策（都合のよい計画）であるまい。赤シャツの談話はいつでも要領を得ない。要領は得なくっても用事はこれで済んだ。それから少し雑談をしているうちに、うらなり君の送別会をやることや、ついてはおれが酒を飲むかという問いや、うらなり先生は君子で愛すべき人だということや――赤シャツはいろいろ弁じた。しまいに話をかえて君俳句をやりますかときたから、こいつはたいへんだと思って、俳句はやりません、さようならと、そこそこに帰ってきた。発句（俳句のこと）は芭蕉か髪結床（とこや）の親方のやるもんだ。数学の先生が＊朝顔やに釣瓶をとられてたまるものか。

帰ってうんと考え込んだ。世間にはずいぶん気の知れない男がいる。家屋敷はもちろん、勤める学校に不足のない故郷がいやになったからといって、知らぬ他国へ苦労を求めに出る。それも花の都の電車が通ってるところなら、まだしもだが、日向の延岡とはなんのことだ。おれは船つきのいい（船の着けやすい、船の便のよい）ここへきてさえ、一ケ月たたないうちにもう帰りたくなった。延岡といえば山の中も山の中もたいへんな山の中だ。赤シャツのいうところによると船から上がって、一日馬車へ乗って、宮崎へいって、宮崎からまた一日車へ乗らなくっては着けないそうだ。名前を聞いてさえ、開けたところとは思えない。猿と人とが半々に住んでるような気がする。いかに聖人のうらなり君だって、好んで猿の相手になりたくもないだろうに、なんという物ずきだ。

ところへ相変わらず婆さんが夕食を運んで出る。きょうもまた芋ですかいと聞いてみたら、いえきょうはお豆腐ぞなもしといった。どっちにしたって似たものだ。

「お婆さん古賀さんは日向へゆくそうですね」

「本当にお気の毒じゃな、もし」

「お気の毒だって、好んでゆくんなら仕方がないですね」

**朝顔やに釣瓶をとられて**　加賀千代（一七〇三〜一七七五）の作「朝顔に　釣瓶とられて　もらい水」の句にかけて、俳句に気をひかれての意味。

「好んでゆくて、だれがぞなもし」

「だれがぞなもしって、当人がさ。古賀先生が物ずきにゆくんじゃありませんか」

「そりゃあなた、大違いの勘五郎ぞなもし」

「勘五郎かね。だって今赤シャツがそういいましたぜ。それが勘五郎なら赤シャツは嘘つきの法螺右衛門だ」

「教頭さんが、そうお言いる（おっしゃる）のはもっともじゃが、古賀さんのお往きともないのももっともぞなもし」

「そんなら両方もっともなんですね。お婆さんは公平でいい。いったいどういうわけなんですい」

「けさ古賀のお母さんが見えて、だんだん（順をおって）わけをお話したがなもし」

「どんなわけをお話したんです」

「あそこもお父さんがお亡くなりてから、あたし達が思うほど暮し向きが豊かにのうてお困りじゃけれ、お母さんが校長さんにお頼みて、もう四年も勤めているものじゃけれ、どうぞ毎月いただくものを、今少しふやしておくれんかてて、あなた」

「なるほど」

「校長さんが、ようまあ考えてみとこうとお言いたげな（おっしゃったそうな）。それでお母さんも安心して、今に増給の御沙汰（知らせ。処置）があろぞ、今月か来月かと首を長くし待っておいでたところへ、校長さんがちょっときてくれと古賀さんにお言いるけれ、いってみると、気の毒だが学校は金が足りんけれ、月給を上げるわけにゆかん。しかし延岡になら空いた口があって、そっちなら毎月五円余分にとれるから、お望みどおりでよかろうと思うて、その手続きにしたからゆくがええといわれたげな。——」

「じゃ相談じゃない、命令じゃありませんか」

「さよよ。古賀さんはよそへいって月給が増すより、元のままでもええから、ここにおりたい。屋敷もあるし、母もあるからとお頼みたけれども、もうそうきめたあとで、古賀さんの代わりはできているけれ仕方がないと校長がお言いたげな」

「へん人を馬鹿にしてら、面白くもない。じゃ古賀さんはゆく気はないんですね。どうれで（どうりで）変だと思った。五円ぐらい上がったって、あんな山の中へ猿のお相手をしにゆく唐変木（気のきかない者）はまずないからね」

「唐変木て、先生なんぞなもし」

「なんでもいいでさあ、——まったく赤シャツの作略（策略。計略）だね。よくない仕打ち（やりかた）だ。まるで欺し撃ちですね。それでおれの月給を上げるなんて、不都合なことがあるものか。上げてやるったって、だれが上がってやるものか」

「先生は月給がお上がりるのかなもし」

「上げてやるっていうから、断ろうと思うんです」

「なんで、お断りるのぞなもし」

「なんでもお断りだ。お婆さん、あの赤シャツは馬鹿ですぜ。卑怯でさあ」

「卑怯でもあんた、月給を上げておくれたら、おとなしくいただいておくほうが得ぞなもし。若いうちはよく腹の立つものじゃが、年をとってから考えると、も少しの我慢じゃあったのに惜しいことをした。腹立てたためにこないな損をしたと悔やむのが当たり前じゃけれ、お婆のいうことをきいて、赤シャツさんが月給をあげてやろうとお言いたら、ありがとうと受けておきなさいや」

「年寄りのくせによけいな世話を焼かなくってもいい。おれの月給は上がろうと下がろうとおれの月給だ」

婆さんはだまって引き込んだ。爺さんは呑気な声を出して謡（能楽の歌詞。謡曲）をうたってる。謡というものは読んでわかるところを、やにむずかしい節をつけて、わざと分からなくする術だろう。あんなものを毎晩飽きずに唸る爺さんの気が知れない。おれは謡どころの騒ぎじゃない。月給を上げてやろうというから、別段ほしくもなかったが、いらない金を余しておくのももったいないと思って、よろしいと承知したのだが、転任したくないものを無理に転任させてその男の月給の上前をはねるなんて不人情なことができるものか。当人がもとのとおりでいいというのに延岡くんだりまで落ちさせるとはいったいどういう了見だろう。*大宰権帥でさえ博多近辺で落ちついたものだ、*河合又五郎だって*相良でとまってるじゃないか。とにかく赤シャツのところへいって断ってこなくっちゃあ気が済まない。

小倉（小倉織の）の袴をつけてまた出かけた。大きな玄関へ突っ立って頼むというと、また例の弟が取り次ぎに出てきた。おれの顔を見てまたきたかという眼付きをした。用があれば二度だって三度だってくる。よる夜なかだってたたき起こさないとは限らない。教頭のところへ御機嫌伺いにくるよ

**大宰権帥** むかし九州大宰府にあった役所の副官。ここでは、菅原道真のことをいう。

**河合又五郎** 寛永十一年、渡辺数馬と荒木又右衛門に伊賀の上野でかたき討ちされた松平備前侯の藩士。

**相良** 現在の熊本県人吉市のこと。

うなおれと見損なってるか。これでも月給がいらないから返しにきたんだ。すると弟が今来客中だというから、玄関でいいからちょっとお目にかかりたいといったら奥へ引き込んだ。足元を見ると、畳付き（表面に畳表をつけた）の薄っぺらな、のめり（かたむくように作った）の駒下駄がある。奥でもう万歳ですよという声が聞こえる。お客とは野だだなと気がついた。野だでなくては、あんな黄色い声を出して、こんな芸人じみた下駄をはくものはない。

しばらくすると、赤シャツがランプを持って玄関まで出てきて、まあ上がりたまえ、ほかの人じゃない吉川君だ、というから、いえここでたくさんです。ちょっと話せばいいんです、といって、赤シャツの顔を見ると金時（坂田金時。金太郎のことで、赤い色のもののたとえに使われる）のようだ。野だ公と一杯飲んでると見える。

「さっき僕の月給をあげてやるというお話でしたが、少し考えが変わったから断りにきたんです」

赤シャツはランプを前へ出して、奥のほうからおれの顔を眺めたが、とっさ（とつぜん）の場合返事をしかねて茫然（気がぬけたようす）としている。増給を断る奴が世の中にたった一人飛びだしてきたのを不審に思ったのか、断るにしても、今帰ったばかりで、すぐ出直してこなくってもよさそうなものだと、あきれ返ったのか、または双方合併したのか、妙な口をして突っ立ったままである。

「あのとき承知したのは、古賀君が自分の希望で転任するという話でしたからで……」

「古賀君はまったく自分の希望で半ば転任するんです」

「そうじゃないんです、ここにいたいんです。元の月給でもいいから、郷里にいたいのです」

「君は古賀君から、そう聞いたのですか」

「そりゃ当人から、聞いたんじゃありません」

「じゃだれからお聞きです」

「僕の下宿の婆さんが、古賀さんのおっ母さんから聞いたのをきょう僕に話したのです」

「じゃ、下宿の婆さんがそういったのですね」

「まあそうです」

「それは失礼ながら少し違うでしょう。あなたのおっしゃるとおりだと、下宿屋の婆さんのいうことは信ずるが、教頭のいうことは信じないというように聞こえるが、そういう意味に解釈して差し支えないでしょうか」

おれはちょっと困った。文学士なんてものはやっぱりえらいもんだ。妙なところへこだわって、ねちねち押し寄せてくる。おれはよく親父から貴様はそそっかしくて駄目だ駄目だといわれたが、なるほど少々そそっかしいようだ。婆さんの話を聞いてはっと思って飛びだしてきたが、じつはうらなり君にもうらなりのおっ母さんにも逢って詳しい事情は聞いてみなかったのだ。だからこう文学士流に斬り付けられると、ちょっと受け留めにくい。

正面からは受け留めにくいが、おれはもう赤シャツに対して不信任を心の中で申し渡してしまった。下宿の婆さんもけちん坊の欲張り屋に相違ないが、嘘は吐かない女だ、赤シャツのように裏表はない。おれは仕方がないから、こう答えた。

「あなたのいうことは本当かもしれないですが――とにかく増給は御免こうむります」

「それはますますおかしい。今君がわざわざおいでになったのは増俸を受けるには忍びない、理由を見いだしたからのように聞こえたが、その理由が僕の説明で取り去られたにもかかわらず増俸を否(こばむ。拒否する)まれるのは少し解(理解しがたい)しかねるようですね」

「解しかねるかもしれませんがね。とにかく断りますよ」

「そんなにいやなら強いてとまではいいませんが、そう二、三時間のうちに、特別の理由もないのに豹変（はっきりと変わること）しちゃ、将来君の信用にかかわる」

「かかわっても構わないです」

「そんなことはないはずです、人間に信用ほど大切なものはありませんよ。よしんば（たとえ）今一歩譲って、下宿の主人が……」

「主人じゃない、婆さんです」

「どちらでもよろしい。下宿の婆さんが君に話したことを事実としたところで、君の増給は古賀君の所得を削って得たものではないでしょう。古賀君は延岡へゆかれる。その代わりがくる。その代わりが古賀君よりも多少低給できてくれる。その剰余（余分。のこり）を君に回すというのだから、君はだれにも気の毒がる必要はないはずです。古賀君は延岡でただ今よりも栄進（高い地位にすすまれる）される、新任者は最初からの約束で安くくる。それで君が上がられれば、これほど都合のいいことはないと思うですがね。いやならいやでもいいが、もう一ぺんうちでよく考えてみませんか」

おれの頭はあまりえらくないのだから、いつもなら、相手がこういう巧妙な弁舌を揮えば、お

**延岡**（一三二ページ）古くは県とよばれ、日向の国（現在の宮崎県）北部の中心地。有馬・三浦・牧野・内藤各氏の城下町としてさかえた。現在は化学薬品・プラスチックなどの工業都市としてさかえる。

松山
伊予（愛媛県）
豊後水道
延岡
日向（宮崎県）

やそうかな、それじゃ、おれが間違ってたと恐れ入って引きさがるのだけれども、今夜はそうはゆかない。ここへきた最初から赤シャツはなんだか虫が好かなかった。途中で親切な女（みたいな）みたような男だと思い返したことはあるが、それが親切でもなんでもなさそうなので、反動の結果今じゃよっぽど厭になっている。だから先が（相手が）どれほどうまく論理的に弁論をたくましくしようとも、堂々たる教頭流におれをやり込めようとも、そんなことは構わない。議論のいい人が善人とはきまらない。やり込められるほうが悪人とは限らない。表向きは赤シャツのほうが重々（かさねがさね。よくよく）もっともだが、表向きがいくら立派だって、腹の中まで惚れさせるわけにはゆかない。金や威力や理屈で人間の心が買えるものなら、高利貸しでも巡査でも大学教授でもいちばん人に好かれなくてはならない。中学の教頭ぐらいな論法でおれの心がどう動くものか。人間は好き嫌いで働くものだ。論法で働くものじゃない。

「あなたのいうことはもっともですが、僕は増給がいやになったんですから、まあ断ります。考えたって同じことです。さようなら」といいすてて門を出た。頭の上には天の川が一筋かかっている。

九

うらなり君の送別会のあるという日の朝、学校へ出たら、山嵐が突然、君せんだってはいか銀がきて、君が乱暴して困るから、どうか出るように話してくれと頼んだから、まじめに受けて、君に出てやれと話したのだが、あとから聞いてみると、あいつは悪い奴で、よく偽筆へ贋落款（書画に筆者がするサインと印）などを押して売りつけるそうだから、まったく君のこともでたらめにちがいない。君に掛け物や骨董を売りつけて、商売にしようと思ってたところが、君が取り合わないで儲けがないものだから、あんな作りごとをこしらえてごまかしたのだ。僕はあの人物を知らなかったので君にたいへん失敬した勘弁したまえと長々しい謝罪をした。

おれはなんともいわずに、山嵐の机の上にあった、一銭五厘をとって、おれの蝦蟇口のなかへ入れた。山嵐は君それを引き込めるのかと不審そうに（うたがわしそうに）聞くから、うんおれは君におごられるのが、いやだったから、ぜひ返すつもりでいたが、その後だんだん考えてみると、やっぱりおごってもらうほうがいいようだから、引き込ますんだと説明した。山嵐は大きな声をしてアハハハと笑いながら、そんなら、なぜ早く取らなかったのだと聞いた。じつは取ろう取ろうと思ってたが、なんだか妙だからそのままにしておいた。近来（ちかごろは）は学校へきて一銭五厘を見るのが苦になるくらいいやだったといったら、君はよっぽど負け惜しみの強い男だというから、君はよっぽど剛情張りだと答えてやった。それから二人の間にこんな問答が起こった。

「君はいったいどこの産（生まれ）だ」

「おれは江戸っ子だ」

「うん、江戸っ子か、道理で負け惜しみが強いと思った」

「君はどこだ」

「僕は*会津（二四七ページ）だ」

「会津っぽ（その土地の生まれをしめす）か、強情なわけだ。きょうの送別会へゆくのかい」

「ゆくとも、君は？」

「おれは無論ゆくんだ。古賀さんが立つとき（出発するとき）は、浜まで見送りにゆこうと思ってるくらいだ」

「送別会は面白いぜ、出てみたまえ。きょうは大いに飲むつもりだ」

「勝手に飲むがいい。おれは肴を食ったら、すぐ帰る。酒なんか飲む奴は馬鹿だ」

「君はすぐ喧嘩を吹きかける男だ。なるほど江戸っ子の軽跳（軽はずみな）な風を、よく、あらわしてる」

「なんでもいい、送別会へゆく前にちょっとおれのうちへお寄り、話があるから」


山嵐は約束どおりおれの下宿へ寄った。おれはこのあいだから、うらなり君の顔を見る度に気の毒でたまらなかったが、いよいよ送別のきょうとなったら、なんだか憐れっぽくって、できることなら、おれが代わりにいってやりたいような気がしだした。それで送別会の席上で、大いに演説でもしてその行（出発）を盛んにしてやりたいと思うのだが、おれのべらんめえ調子じゃ、到底物にならないから、大きな声を出す山嵐を雇って、一番赤シャツの荒胆をひしいで（相手をおどろかし、おそれさせて）やろうと考えついたから、わざわざ山嵐を呼んだのである。

おれはまず冒頭としてマドンナ事件から説きだしたが、山嵐は無論マドンナ事件はおれより詳しく知っている。おれが野芹川の土手の話をして、あれは馬鹿野郎だといったら、山嵐が君はだれを捕まえても馬鹿呼ばわりをする。きょう学校で自分のことを馬鹿といったじゃないか。自分が馬鹿なら、赤シャツは馬鹿じゃない。自分は赤シャツの同類じゃないと主張した。それじゃ赤シャツは腑抜けの呆助（こしぬけのばか）だといったら、そうかもしれないと山嵐は大いに賛成した。山嵐は強いことは強いが、こんな言葉になると、おれよりはるかに字を知っていない。会津っぽなんてものはみんな、こんな、ものなんだろう。

それから増給事件と将来重く登用（高い地位に上げて用いる）すると赤シャツがいった話をしたら山嵐はふふんと鼻から声を出して、それじゃ僕を免職する考えだなといった。免職するつもりだって、君は免職になる気かと聞いたら、だれがなるものか、自分が免職になるなら、赤シャツもいっしょに免職させてやると大いに威張った。どうしていっしょに免職させる気かと押し返して尋ねたら、そこはまだ考えていないと答えた。山嵐は強そうだが、知恵はあまりなさそうだ。おれが増給を断ったと話したら、大将大きに（大いに）喜んでさすが江戸っ子だ、えらいと賞めてくれた。

**会津**（一四五ページ）
福島県西部、会津盆地を中心とする地方。明治維新のとき、会津藩は徳川幕府のがわについて徹底的に戦った。会津っぽには、頑固一徹という意味もある。

うらなりが、そんなに厭がっているなら、なぜ留任の運動をしてやらなかったと聞いてみたら、うらなりから話を聞いたときは、すでにきまってしまって、校長へ二度、赤シャツへ一度いって談判してみたが、どうすることもできなかったと話した。それについても古賀があまり好人物すぎるから困る。赤シャツから話があったとき、断然断るか、一応考えてみますと逃げればいいのに、あの弁舌にごまかされて、即席に許諾したものだから、あとからおっ母さんが泣きついても、自分が談判にいっても役に立たなかったと非常に残念がった。

今度の事件はまったく赤シャツが、うらなりを遠ざけて、マドンナを手に入れる策略なんだろうとおれがいったら、無論そうにちがいない。あいつはおとなしい顔をして、悪事を働いて、人がなにかいうと、ちゃんと逃げ道をこしらえて待ってるんだから、よっぽど奸物（悪ぢえのはたらく人）だ。あんな奴にかかっては鉄拳制裁（げんこつでなぐること）でなくっちゃ利かないと、瘤だらけの腕をまくって見せた。おれはついでだから、君の腕は強そうだな柔術でもやるかと聞いてみた。すると大将二の腕へ力瘤を入れて、ちょっとつかんでみろというから、指の先で揉んでみたら、なんのことはない湯屋（ふろや）にある軽石のようなものだ。

おれはあまり感心したから、君はそのくらいの腕なら、赤シャツの五人や六人は一度に張り飛ばされるだろうと聞いたら、無論さといいながら、曲げた腕を伸ばしたり、縮ましたりすると、力瘤がぐるりぐるりと皮のなかで回転する。すこぶる愉快だ。山嵐の証明するところによると、かんじん綯り（こより）を二本より合わせて、この力瘤の出るところへ巻きつけて、うんと腕を曲げると、ぷつりと切れるそうだ。かんじんよりなら、おれにもできそうだといったら、できるものか、できるならやってみろときた。切れないと外聞（みえ。体裁）がわるいから、おれは見合わせた。

君どうだ、今夜の送別会に大いに飲んだあと、赤シャツと野だを撲ってやらないかと面白半分に勧めてみたら、山嵐はそうだなと考えていたが、今夜はまあよそうといった。なぜと聞くと、今夜は古賀に気の毒だから——それにどうせ撲るくらいなら、あいつらの悪いところを見届けて現場で撲らなくっちゃ、こっちの落ち度（あやまち）になるからと、分別（考え。判断）のありそうなことを付け加した。山嵐でもおれよりは考えがあると見える。

じゃ演説をして古賀君を大いにほめてやれ、おれがすると江戸っ子のぺらぺらになって重みがなくていけない。そうして、きまったところへ出ると、きゅうに溜飲（胸がいっぱいになって）が起こって咽喉のところへ、大きな丸が上がってきて言葉が出ないから、君に譲るからといったら、妙な病気だな、じゃ君は人中（おおぜいの人のいるところ）じゃ口は利けないんだね、困るだろう、と聞くから、なにそんなに困りゃしないと答えておいた。

そうこうするうち時間がきたから、山嵐といっしょに会場へゆく。会場は花晨亭といって、当地で第一等の料理屋だそうだが、おれは一度も足を入れたことがない。もとの家老とかの屋敷を買い入れて、そのまま開業したという話だが、なるほど見かけからして厳めしい（おごそかな）構えだ。家老の屋敷が料理屋になるのは、*陣羽織を縫い直して、胴着（上着とはだ着の間に着る短い下着）にするようなものだ。

二人が着いたころには、人数ももう大概揃って、五十畳の広間に二つ三つ人間の塊ができている。五十畳だけに床はすてきに大きい。おれが山城屋で占領した十五畳敷きの床とは比較にならない。尺を取ってみたら（はかってみたら、やく三百六十センチ）二間あった。右のほうに、赤い模様のある瀬戸物の瓶を据えて、その中に松の大きな枝が挿してある。松の枝を挿してなににする気か知らないが、何ヶ月たっても散る気遣いがないから、銭がかからなくって、よかろう。あの瀬戸物はどこでできるんだと博物の教師に聞いたら、あれは瀬戸物じゃありません。伊万里（陶器の伊万里焼）ですといった。伊万里だって瀬戸物じゃないかと、いったら、博物はえへへへへと笑っていた。あとで聞いてみたら、瀬戸でできる焼き物だから、瀬戸というのだそうだ。おれは江戸っ子だから、陶器のことを瀬戸物というのかと思っていた。床の真ん中に大きな掛け物があって、おれの顔ぐらいな大きさな字が二十八字かいてあ

**陣羽織**　戦いのときに、よろいの上に着た、そでのない羽織。

**海屋**　貫名海屋（一七七八～一八六三）のこと。徳島の人。書画にすぐれ、とくに気品に富む書風は有名で、明治以降大きな影響をあたえた。

**羽織、袴**　明治以後、男子の礼装とされた和服の形。

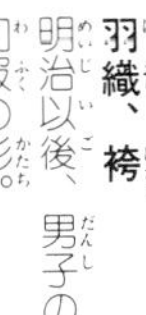


る。どうも下手なものだ。あんまりまずいから、漢学の先生に、なぜあんなまずいものを麗々と（とくべつ目立つように）懸けておくんですと尋ねたところ、先生があれは*海屋といって有名な書家のかいたものだと教えてくれた。海屋だかなんだか、おれは今だに下手だと思っている。

やがて書記の川村がどうか御着席をというから、柱があってよりかかるのに都合のいいところへすわった。海屋の掛け物の前に狸が*羽織、袴で着席すると、左に赤シャツが同じく羽織袴で陣取った。右のほうはきょうの主人公だというのでうらなり先生、これも日本服で控えている。おれは洋服だから、かしこまるのが窮屈だったから、すぐ胡坐をかいた。隣の体操教師は黒ずぼんで、ちゃんとかしこまっている。体操の教師だけにいやに修業が積んでいる。やがてお膳が出る。徳利（酒を入れる器。とっくり）が並ぶ。幹事が立って、一言開会の辞を述べる。それから狸が起つ、赤シャツが起つ。ことごとく送別の辞を述べたが、三人とも申し合わせたようにうらなり君の、良教師で好人物なことを吹聴して、今回去られるのはまことに残念である、学校としてのみならず、個人として大いに惜しむところであるが、御一身上の御都合で、せつに（たって。ぜひ）転任を御希望になったのだから致し方がないという意味を述べた。こんな嘘をついて送別会を開いて、それでちっとも恥ずかしいとも思っていない。ことに赤シャツに至って三人のうちでいちばんうらなり君をほめた。この良友を失うのはじつに自分にとって大なる不幸であるとまでいった。しかもそのいい方がいかにも、もっともらしくって、例のやさしい声をいっそうやさしくして、述べたてるのだから、始めて聞いたものは、だれでもきっとだまされるにきまってる。マドンナもおおかたこの手で引っ掛けたんだろう。赤シャツが送別の辞を述べたてている最中、向こう側にすわっていた山嵐がおれの顔を見てちょっと稲光（目くばせをした）をさした。おれは返電（返事のかわりに）として、人指し指でべっかんこう（目の下を指でおさえ、舌を出すこと）をしてみせた。

赤シャツが席に復するのを待ちかねて、山嵐がぬっと立ち上がったから、おれは嬉しかったので、思わず手をぱちぱちと拍った。すると狸を始め一同がことごとくおれのほうを見たには少々困った。山嵐はなにをいうかと思うとただ今校長始めことに教頭は古賀君の転任を非常に残念がられたが、私は少々反対で古賀君が一日も早く当地を去られるのを希望しております。延岡は僻遠（へんぴな土地）の地で、当地に比べたら物質上の不便はあるだろう。が、聞くところによれば風俗のすこぶ（たいへん）

る淳朴(すなおでかざりけがない)なところで、職員生徒ことごとく上代樸直(むかしの人のように正直な)の気風を帯びているそうである。心にもないお世辞を振りまいたり、美しい顔をして君子を陥れたりするハイカラ野郎は一人もないと信ずるからして、君のごとき温良篤厚の士(おとなしく誠意あふれる人)は必ずその地方一般(みんなの)の歓迎を受けられるに相違ない。吾輩は大いに古賀君のためにこの転任を祝するのである。終わりに臨んで君が延岡に赴任されたら、その地の淑女にして、君子の好逑(よい妻)となるべき資格あるものをえらんで一日も早く円満なる家庭をかたち作って、かの不貞無節なるお転婆を事実の上において慚死(死ぬほどはずかしめる)せしめんことを希望します。えへんえへんと二つばかり大きな咳払いをして席に着いた。おれは今度も手を叩こうと思ったが、またみんながおれの面を見るといやだから、やめにしておいた。山嵐がすわると今度はうらなり先生が起った。先生は御鄭寧に、自席から、座敷の端の末座までいって、慇懃に一同に挨拶をしたうえ、今般は一身上の都合で九州へ参ることになりましたについて、諸先生がたが小生のためにこの盛大なる送別会をお開きくださったのは、まことに感銘の至りに堪えぬ(感激でいっぱいである)次第で——ことにただ今は校長、教頭その他諸君の送別の辞を頂戴して、大いにありがたく服膺(こころにとめておく)するわけであります。

私はこれから遠方へ参りますが、なにとぞ従前(いままでどおり)のとおりお見捨てなく御愛顧(ごひいき、おひきたて)のほどを願います。とへえつく張って(ひれふし、かしこまって)席に戻った。うらなり君はどこまで人がいいんだか、ほとんど底が知れない。自分がこんなに馬鹿にされている校長や、教頭にうやうやしくお礼をいっている。それも義理一ぺんの挨拶ならだが、あの様子や、あの言葉つきや、あの顔つきからいうと、心から感謝しているらしい。こんな聖人にまじめにお礼をいわれたら、気の毒になって、赤面しそうなものだが狸も赤シャツもまじめに謹聴(かしこまって聞いている)しているばかりだ。

挨拶が済んだら、あちらでもチュー、こちらでもチュー、という音がする。おれも真似をして汁を飲んでみたがまずいもんだ。*口取りに蒲鉾はついてるが、どす黒くて竹輪のできそこないである。刺身も並んでるが、厚くって鮪の切り身を生で食うと同じことだ。それでも隣近所の連中はむしゃむしゃ旨そうに食っている。おおかた(たぶん)江戸前(東京ふう)の料理を食ったことがないんだろう。

そのうち燗徳利が頻繁に往来し始めたら、四方がきゅうに賑やかになった。野だ公はうやうやしく校長の前へ出て杯をいただいてる。いやな奴だ。うらなり君は順々に献酬(さかずきをかわすこと)をして、一巡めぐるつもりとみえる。はなはだ御苦労である。うらなり君がおれの前へきて、一つ頂戴いたしましょうと袴のひだを正して申し込まれたから、おれも窮屈にズボンのままかしこまって、一盃差し上げた。せっかく参って、すぐお別れになるのは残念ですね。御出立はいつです、ぜひ浜までお見送りをしましょうといったら、うらなり君はいえ御用多のところけっしてそれには及びませ

**口取り**
きんとん・かまぼこ、あまく煮た魚などを浅い皿に盛り合わせた料理。膳のはじめに出す。

**香具師**
道ばたで見せ物をして人を集め、品物を売る人。

んと答えた。うらなり君がなんといったって、おれは学校を休んで送る気でいる。

それから一時間ほどするうちに席上はだいぶ乱れてくる。まあ一杯、おや僕が飲めというのに……などと呂律（ことばがはっきりいえない）の巡りかねるのも一人二人できてきた。少々退屈したから便所へいって、昔ふうな庭を星明かりにすかして眺めていると山嵐がきた。どうださっきの演説はうまかったろう。とだいぶ得意である。大賛成だが一ケ所気に入らないと抗議を申し込んだら、どこが不賛成だと聞いた。

「美しい顔をして人を陥れるようなハイカラ野郎は延岡におらないから……と君はいったろう」

「うん」

「ハイカラ野郎だけでは不足だよ」

「じゃなんというんだ」

「ハイカラ野郎の、ペテン師の、イカサマ師の、猫っ被りの、*香具師の、モモンガー（むささびに似た小動物）の、岡っ引きの、わんわん鳴けば犬も同然な奴とでもいうがいい」

「おれには、そう舌は回らない。君は能弁（話し方がうまい）だ。だいいち単語をたいへんたくさん知ってる。それで演舌ができないのは不思議だ」

「なにこれは喧嘩のときに使おうと思って、用心のために取っておく言葉さ。演舌となっちゃ、こうは出ない」

「そうかな、しかしぺらぺら出るぜ。もう一ぺんやってみたまえ」

「何べんでもやるさいいか。——ハイカラ野郎のペテン師の、イカサマ師の……」

といいかけていると、椽側をどたばたいわして、二人ばかり、よろよろしながら馳けだしてきた。

「両君そりゃひどい、——逃げるなんて、——僕がいるうちはけっして逃がさない、さあのみたまえ。——いかさま師？——面白い、いかさま面白い。——さあ飲みたまえ」

とおれと山嵐をぐいぐい引っ張ってゆく。じつはこの両人とも便所にきたのだが、酔ってるもんだから、便所へはいるのを忘れて、おれらを引っ張るのだろう。酔っ払いは目のあたるところへ用事をこしらえて、前のことはすぐ忘れてしまうんだろう。

「さあ、諸君、いかさま師を引っ張ってきた。さあ飲ましてくれたまえ。いかさま師をうんというほど、酔わしてくれたまえ。君逃げちゃいかん」
と逃げもせぬ、おれを壁ぎわへ圧し付けた。諸方（あちこち）を見回してみると、膳の上に満足な肴の乗っているのは一つもない。自分の分を奇麗に食い尽くして、五、六間先へ遠征に出た奴もいる。校長はいつ帰ったか姿が見えない。

ところへお座敷はこちら？　と芸者が三、四人はいってきた。おれも少し驚いたが、壁ぎわへ押し付けられているんだから、じっとしてただ見ていた。すると今まで床柱（床の間の前の柱）へもたれて例の琥珀のパイプを自慢そうにくわえていた、赤シャツがきゅうに立って、座敷を出にかかった。向こうからはいってきた芸者の一人が、ゆきちがいながら、笑って挨拶をした。その一人はいちばん若くていちばん奇麗な奴だ。遠くで聞こえなかったが、おや今晩はぐらいいったらしい。赤シャツは知らん顔をして出ていったぎり、顔を出さなかった。おおかた校長のあとを追っかけて帰ったんだろう。

芸者がきたら座敷じゅうきゅうに陽気になって、一同が鬨の声を揚げて歓迎したのかと思うくらい、騒々しい。そうしてある奴はなんこ（小石や豆を手につかみ、相手にその数をあてさせるゲーム）をつかむ。その声の大きなこと、まるで居合い抜き*（一五九ページ）の稽古のようだ。こっちでは拳（二人以上で向かい合い、手のひらを使って勝負を争うゲーム）を打ってる。よっ、はっ、と夢中で両手を振るところは、ダーク一座*（一五九ページ）

の操り人形よりよっぽど上手だ。向こうの隅ではおいお酌だ、と徳利を振ってみて、酒だ酒だといい直している。どうもやかましくて騒々しくってたまらない。そのうちで手持ち無沙汰に下を向いて考え込んでるのはうらなり君ばかりである。自分のために送別会を開いてくれたのは、自分の転任を惜しんでくれるんじゃない。みんなが酒を呑んで遊ぶためだ。自分独りが手持ち無沙汰（することがなく、たいくつなこと）で苦しむためだ。こんな送別会なら、開いてもらわないほうがよっぽどましだ。

しばらくしたら、めいめい胴間声（調子はずれの太い声）を出してなにか唄い始めた。おれの前へきた一人の芸者が、あんた、なんぞ、唄いなはれ、と三味線をかかえたから、おれは唄わない、貴様唄ってみろといったら、金や太鼓でねえ、迷子の迷子の三太郎と、どんどこ、どんのちゃんちきりん。叩いて回って逢われるものならば、わたしなんぞも、金や太鼓でどんどこ、どんのちゃんちきりんと叩いて回って逢いたい人がある、とふた息にうたって、おおしんど（つかれる）といった。おおしんどなら、もっと楽なものをやればいいのに。

すると、いつの間にかそばへきてすわった、野だが、鈴ちゃん逢いたい人に逢ったと思ったら、すぐお帰りで、お気の毒さまみたようでげすと相変わらず噺し家みたような言葉使いをする。知りまへんと芸者はつんとすました。野だは頓着なく、たまたま逢いは逢いながら……と、いやな

**居合い抜き**（一五七ページ）
すわったままで、すばやく刀をぬく剣法。

**ダーク一座の操り人形**（一五七ページ）
明治二十年ごろ輸入され大正まで東京浅草で演じられた、イギリス人ダーク一座の糸操り人形。

**義太夫**
竹本義太夫がはじめた、浄瑠璃節の一つで、三味線を伴奏に使い、人形操りに合わせて演じられた。

**花月巻き**
当時流行していた女性の髪型。

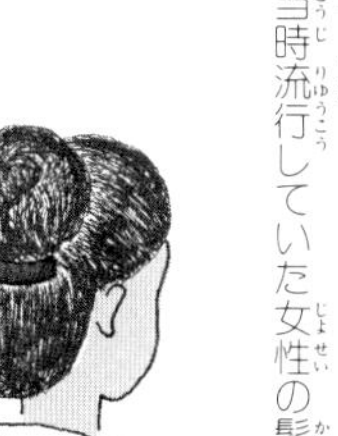

声を出して義太夫の真似をやる。おきなはれやと芸者は平手で野だの膝を叩いたら野だは恐悦して笑ってる。この芸者は赤シャツに挨拶をした奴だ。芸者に叩かれて笑うなんて、野だもお目出度ものだ。鈴ちゃん僕が紀伊の国を踊るから、一つ弾いてちょうだいといいだした。野だはこのうえまだ踊る気でいる。

向こうのほうで漢学のお爺さんが歯のない口を歪めて、そりゃ聞こえません伝兵衛さん、お前とわたしのその中は……とまでは無事に済ましたが、それから？　と芸者に聞いている。爺さんなんて物覚えのわるいものだ。一人が博物を捕まえて近頃こないなのが、でけましたぜ、弾いてみまほうか。よう聞いて、いなはれや――花月巻き、白いリボンのハイカラ頭、乗るは自転車、弾くはバイオリン、半可の英語でぺらぺらと、I am glad to see youと唄うと、博物はなるほど面白い、英語入りだねと感心している。

山嵐はばかに大きな声を出して、芸者、芸者と呼んで、おれが剣舞をやるから、三味線を弾けと号令を下した。芸者はあまり乱暴な声なので、あっけに取られて返事もしない。山嵐は委細構わず（えんりょなく）、ステッキを持ってきて、*踏み破る千山万岳の烟（一六三ページ）で独りで隠し芸を演じている。ところへ野だがすでに紀伊の国を済まして、かっぽれを済まして、棚の達磨さんを済まして丸裸の*越中褌（一六三ページ）一つになって、棕梠箒（しゅろの毛で作ったほうき）を小わきに抱い込んで、日清談判破裂（明治二十四・五年ごろから流行した壮士演歌「欣舞節」のこと）して……と座敷じゅう練りあるきだした。まるで気違いだ。

おれはさっきから苦しそうに袴も脱がず控えているうらなり君が気の毒でたまらなかったが、なんぼ自分の送別会だって、越中褌の裸踊りまで羽織袴で我慢して見ている必要はあるまいと思ったから、そばへいって、古賀さんもう帰りましょうと退去を勧めてみた。するとうらなり君はきょうは私の送別会だから、私が先へ帰っては失礼です、どうぞ御遠慮なくと動く景色（ようす）もない。なに構うもんですか、送別会なら、送別会らしくするがいいです、あのざまを御覧なさい。気狂い会です。さあゆきましょうと、進まないのを無理に勧めて、座敷を出かかるところへ、野だが箒を振り振り進行してきて、や御主人が先へ帰るとはひどい。日清談判だ。帰せないと箒を横にして行く手を塞いだ。おれはさっきから肝癪が起こっているところだから、日清談判なら貴様はちゃんちゃん（当時中国人をあざけってよんだことば）だろうと、いきなり拳骨で、野だの頭をぽかりと食らわしてやった。野だは二、三秒の間毒気を抜かれたていで、ぼんやりしていたが、おやこれはひどい。おぶちになったのは情けない。この吉川を御打擲（打ちたたくこと）とは恐れ入った。いよいよもって日清談判だ。とわからぬことをならべているところへ、うしろから山嵐がなにか騒動が始まったと見て取って、剣舞をやめて、飛んできたが、このていたらく（みっともないようす）を見て、いきなり頸筋をうんとつかんで引き戻した。日清……いたい。いたい。どうもこれは乱暴だと振りもがくところを横にねじったら、すとんと倒れた。あとはどうなったか知らない。途中でうらなり君に別れて、うちへ帰ったら十一時過ぎだった。

## 十

祝勝会（日露戦争の祝勝会か）で学校はお休みだ。練兵場（兵隊を訓練する広い場所）で式があるというので、狸は生徒を引率して参列しなくてはならない。おれも職員の一人としていっしょにくっついてゆくんだ。町へ出ると日の丸だらけで、まぼしい（まぶしい）くらいである。学校の生徒は八百人もあるのだから、体操の教師が隊伍（隊列）を整えて、一組一組の間を少しずつ明けて、それへ職員が一人か二人ずつ監督として割り込む仕掛けである。仕掛けだけはすこぶる巧妙なものだが、実際はすこぶる不手際（うまく処理できない）である。生徒は小供のうえに、生意気で、規律を破らなくっては生徒の体面にかかわると思ってる奴らだから、職員が幾人ついていったってなんの役に立つもんか。命令も下さないのに勝手な軍歌をうたったり、軍歌をやめるとワーとわけもないのに鬨の声を揚げたり、まるで浪人が町内をねりあるいてるようなものだ。軍歌も鬨の声も揚げないときはがやがやなにかしゃべってる。しゃべらないでもあるけそうなもんだが、日本人はみな口から先へ生まれるのだから、いくら小言（しかる文句）をいったって聞きっこない。しゃべるのもただしゃべるのではない、教師のわる口をしゃべるんだから、下等だ。おれは宿直事件で生徒を謝罪さして、まあこれならよかろうと思っていた。ところが実際は大違いである。下宿の婆さんの言葉を借りていえば、まさに大違いの勘五郎である。生徒があやまったのは心から後悔してあやまったのではない。ただ校長から、命令されて、形式的に頭を下げたのである。商人が頭ばかりさげて、狡いことをやめないのと一般（おなじで）で生徒も謝罪だけはするが、いたずらはけっしてやめるものでない。よく考えてみると世の中はみんなこの生徒のようなものから成立しているかもしれない。人があやまったり詫びたりするのを、まじめに受けて勘弁するのは正直すぎる馬鹿というんだろう。あやまるのも仮にあやまるので、勘弁するのも仮に勘弁するのだと思ってれば差し支えない。もし本当にあやまらせる気なら、本当に後悔するまで叩きつけなくてはいけない。

**紀伊の国**（一五九ページ）
江戸末期から明治はじめに流行した端唄という三味線歌曲の名。

**踏み破る千山万岳の烟**（一六〇ページ）
万延一（一八六〇）年、井伊直弼をうった水戸藩浪士の一人、斎藤監物の漢詩「児島高徳桜樹に書すの図に題す」の第一句。剣舞は漢詩にあわせておどる。

**越中褌**（一六〇ページ）
長さ一メートルぐらいの小はばの褌。細川越中守忠興がはじめたものといわれ、この名がある。

　おれが組と組の間にはいってゆくと、天麩羅だの、団子だの、という声が絶えずする。しかも大勢だから、だれがいうのだか分からない。よし（たとえ）分かってもおれのことを天麩羅といったんじゃありません、団子と申したのじゃありません、それは先生が神経衰弱だから、ひがんで、そう聞くんだぐらいいうにきまってる。こんな卑劣な根性は封建時代から、養成したこの土地の習慣なんだから、いくら言って聞かしたって、教えてやったって、到底直りっこない。こんな土地に一年もいると、潔白なおれも、この真似をしなければならなく、なるかもしれない。向こうでうまくいいぬけられるような手段で、おれの顔を汚すのをほうっておく、樗蒲一（とばくの一種。ここでは、ばくち打ちのようなぬけめのないいやなやつ）はない。向こうが人ならおれも人だ。生徒だって、子供だって、ずう体（からだ。なり）はおれより大きいや。だから刑罰としてなにか返報（しかえし）をしてやらなくっては義理がわるい。ところがこっちから返報をする時分に尋常（あたりまえ）の手段でゆくと、向こうから逆ねじを食わしてくる（相手の非難に対して逆になじりかえしてくる）。貴様がわるいからだというと、初手から逃げ路が作ってあることだから滔々と弁じたてる。弁じたてておいて、自分のほうを表向きだけ立派にしてそれからこっちの非を攻撃する。もともと返報にしたことだから、こちらの弁護は向こうの非が挙がらないうえは弁護にならない。つまりは向こうから手を出しておいて、世間体はこっちが仕掛けた喧嘩のように、見なされてしまう。たいへんな不利益だ。それなら向こうのやるなり、愚迂多良童子（なまけ者）をきめ込んでいれば、向こうはますます増長する（いい気になる）ばかり、大きくいえば世の中のためにならない。そこで仕方がないから、こっちも向こうの筆法（方法）を用いて捕まえられないで、手のつけようのない返報をしなくてはならなくなる。そうなっては江戸っ子も駄目だ。駄目だが一年もこうやられる以上は、おれも人間だから駄目でもなんでもそうならなくっちゃ始末がつかない。どうしても早く東京へ帰って清といっしょになるに限る。こんな田舎にいるのは堕落しにきているようなものだ。新聞配達をしたって、ここまで堕落（品行が悪くなる）するよりはましだ。

こう考えて、いやいや、ついてくると、なんだか先鋒（先頭にたってすすむ者）がきゅうにがやがや騒ぎだした。同時に列はぴたりと留まる。変だから、列を右へはずして、向こうを見ると、大手町を突き当たって薬師町へ曲がる角のところで、行き詰まったぎり、押し返したり、押し返されたりして揉み合っている。前方から静かに静かにと声をからしてきた体操教師になんですと聞くと、曲がり角で中学校と師範学校が衝突したんだという。

中学と師範とはどこの県下でも犬と猿のように仲がわるいそうだ。なぜだかわからないが、まるで気風が合わない。なにかあると喧嘩をする。おおかた狭い田舎で退屈だから、暇潰しにやる仕事なんだろう。おれは喧嘩は好きなほうだから、衝突と聞いて、面白半分に馳けだしていった。すると前のほうにいる連中は、しきりになんだ地方税のくせに（税金でまかなっているくせに）、引き込めと、どなってる。後ろからは押せ押せと大きな声を出す。おれは邪魔になる生徒の間をくぐり抜けて、曲がり角へもう少しで出ようとしたときに、前へ！　という高く鋭い号令が聞こえたと思ったら師範学校のほうは粛々として（しずかに）進行を始めた。先を争った衝突は、折り合いがついた（解決した）には相違ないが、つまり中学校が一歩を譲ったのである。資格からいうと＊師範学校（二六七ページ）のほうが上だそうだ。

祝勝の式はすこぶる簡単なものであった。旅団長が祝詞を読む、知事が祝詞を読む。参列者が万歳を唱える。それでおしまいだ。余興は午后にあるという話だから、ひとまず下宿へ帰って、こないだじゅうから、気にかかっていた、清への返事をかきかけた。今度はもっと詳しく書いてくれとの注文だから、なるべく念入りに認め（書く）なくっちゃならない。しかしいざとなって、半切れ（巻紙）を取りあげると、書くことはたくさんあるが、なにから書きだしていいか、わからない。あれにしようか、あれは面倒くさい。これにしようか、これはつまらない。なにか、すらすらと出て、骨が折れなくって、そうして清が面白がるようなものはないかしらん、と考えてみると、そんな注文どおりの事件は一つもなさそうだ。おれは墨をすって、筆をしめして、巻紙をにらめて、――巻紙をにらめて、筆をしめして、墨をすって――同じ所作を同じように何べんも繰り返したあと、おれには、とても手紙はかけるものではないと、諦めて硯の蓋をしてしまった。手紙なんぞをかくのは面倒くさい。やっぱり東京まで出かけていって、逢って話をするほうが簡便（かんたん）だ。清の心配は察しないでもないが、清の注文どおりの手紙をかくのは三七日の断食よりも苦しい。

おれは筆と巻紙をほうり出して、ごろりと転がって肱枕（ひじをまくらがわりにして）をして庭のほうを眺めてみたが、やっぱり清のことが気にかかる。そのときおれはこう思った。こうして遠くへきてまで、清の身の上を案じて（心配して）いてやりさえすれば、おれの真心は清に通じるにちがいない。通じさえすれば手紙なんぞやる必要はない。やらなければ無事で暮らしてると思ってるだろう。たよりは死んだときか病気のときか、なにか事の起こったときにやりさえすればいいわけだ。

庭は十坪ほどの平庭（築山などのない平地の庭園）で、これという植木もない。ただ一本の蜜柑があって、塀のそとから、目標になるほど高い。おれはうちへ帰ると、いつでもこの蜜柑を眺める。東京を出たことのないも

**師範学校**（一六五ページ）
小学校教員を養成するために、各都道府県にもうけられた公立の学校。

**竹の皮の包み**
竹の子の皮で作った包み。竹の皮は、水分を通しにくくじょうぶなので、笠やぞうりを作るのにも用いる。

のには蜜柑の生っているところはすこぶる珍しいものだ。あの青い実がだんだん熟してきて、黄色になるんだろうが、さだめて奇麗だろう。今でももう半分色の変わったのがある。婆さんに聞いてみると、すこぶる水気の多い、うまい蜜柑だそうだ。今に熟れたら、たんと召しあがれといったから、毎日少しずつ食ってやろう。もう三週間もしたら、充分食えるだろう。まさか三週間内にここを去ることもなかろう。

おれが蜜柑のことを考えているところへ、偶然山嵐が話しにやってきた。きょうは祝勝会だから、君といっしょに御馳走を食おうと思って牛肉を買ってきたと、＊竹の皮の包みを袂から引きずり出して、座敷の真ん中へほうり出した。おれは下宿で芋責め豆腐責めになってるうえ、蕎麦屋ゆき、団子屋ゆきを禁じられてる際だから、そいつは結構だと、すぐ婆さんから鍋と砂糖をかり込んで、煮方に取りかかった。

山嵐は無暗に牛肉を頬張りながら、君あの赤シャツが芸者に馴染み（したしい仲の人）のあることを知ってるかと聞くから、知ってるとも、このあいだうらなりの送別会のときにきた一人がそうだろうといったら、そうだ僕はこのごろようやく勘づいたのに、君はなかなか敏捷（すばしこい）だと大いにほめた。

「あいつは、ふた言めには品性だの、精神的娯楽だのというくせに、裏へ回って、芸者と関係なんかつけとる、怪しからん奴だ。それもほかの人が遊ぶのを寛容（ゆるす。大目にみる）するならいいが、君が蕎麦屋へいったり、団子屋へはいるのさえ取り締まり上害になるといって、校長の口を通して注意を加えたじゃないか」

「うん、あの野郎の考えじゃ、芸者買いは精神的娯楽で、天麩羅や、団子は物質的娯楽なんだろう。精神的娯楽なら、もっと大べら（おおっぴら）にやるがいい。なんだあの様は。馴染みの芸者がはいってくると、入れ代わりに席をはずして、逃げるなんて、どこまでも人をごまかす気だから気に食わない。そうして人が攻撃すると、僕は知らないとか、露西亜文学だとか、俳句が新体詩の兄弟分だとかいって、人を烟に巻くつもりなんだ。あんな弱虫は男じゃないよ。まったく御殿女中（将軍家や大名につかえた奥女中のことで、そこいじの悪い者のたとえ）の生まれ変わりかなんかだぜ。ことによると、あいつのおやじは湯島のかげまかもしれない」

「湯島のかげまたなんだ」

「なんでも男らしくないもんだろう。——君そこのところはまだ煮えていないぜ。そんなのを食うと條虫（腸内の寄生虫の一つ。条虫）がわくぜ」

「そうか、たいてい大丈夫だろう。それで赤シャツは人に隠れて、温泉の町の角屋へいって、芸者と会見するそうだ」

「角屋って、あの宿屋か」

「宿屋兼料理屋さ。だからあいつを一番へこますためには、あいつが芸者をつれて、あすこへはいり込むところを見届けておいて面詰（直接会って責める）するんだね」

「見届けるって、夜番（夜、みはること）でもするのかい」

「うん、角屋の前に枡屋という宿屋があるだろう。あの表二階をかりて、障子へ穴をあけて、見ているのさ」

「見ているときにくるかい」

「くるだろう。どうせ一晩じゃいけない。二週間ばかりやるつもりでなくっちゃ」

「ずいぶん疲れるぜ。僕あ、おやじの死ぬとき一週間ばかり徹夜して看病したことがあるが、あとでぼんやりして、大いに弱ったことがある」

「少しぐらい身体が疲れたって構わんさ。あんな奸物(悪ぢえのはたらく悪人)をあのままにしておくと、日本のためにならないから、僕が天に代わって誅戮(罪ある者を殺す。ここでは、罰すること)を加えるんだ」

「愉快だ。そう事がきまれば、おれも加勢(助けること)してやる。それで今夜から夜番をやるのかい」

「まだ枡屋に掛け合ってないから、今夜は駄目だ」

「それじゃ、いつから始めるつもりだい」

「近々のうちやるさ。いずれ君に報知(知らせる)をするから、そうしたら、加勢してくれたまえ」

「よろしい、いつでも加勢する。僕は計略は下手だが、喧嘩とくるとこれでなかなかすばしこいぜ」

おれと山嵐がしきりに赤シャツ退治の計略を相談していると、宿の婆さんが出てきて、学校の生徒さんが一人、堀田先生にお目にかかりたいてておいでたぞなもし。今お宅へ参じた(まいった。うかがった)のじゃが、お留守じゃけれ、おおかたここじゃろうてて捜し当てておいでたのじゃがなもしと、閾(出入口などにしく横木)のところへ膝を突いて山嵐の返事を待ってる。山嵐はそうですかと玄関まで出ていったが、やがて帰ってきて、君、生徒が祝勝会の余興を見にゆかないかって誘いにきたんだ。きょうは高知から、なんとか踊りをしに、わざわざここまで多人数乗り込んできているのだから、ぜひ見物しろ、めっ

**汐酌み**
踊りの名の一つ。謡曲「松風」から、塩を作るために海水をくむ女性のすがたを踊りにしたもの。

**本門寺の御会式**
東京池上の本門寺で毎年十月十二・十三日におこなわれる、日蓮宗の宗祖日蓮の法会。

たに見られない踊りだというんだ、君もいっしょにいってみたまえと山嵐は大いに乗り気で、おれに同行を勧める。おれは踊りなら東京でたくさん見ている。毎年八幡様のお祭りには屋台(踊りをする屋根のついた台)が町内へ回ってくるんだから汐酌みでもなんでもちゃんと心得ている。土佐っぽの馬鹿踊りなんか、見たくもないと思ったけれども、せっかく山嵐が勧めるもんだから、ついゆく気になって門へ出た。山嵐を誘いにきたものはだれかと思ったら赤シャツの弟だ。妙な奴がきたもんだ。

会場へはいると、回向院の相撲か本門寺の御会式のように幾流れとなく長い旗をところどころに植え付けたうえに、世界万国の国旗をことごとく(みんな)借りてきたくらい、縄から縄、綱から綱へ渡しかけて、大きな空が、いつになく賑やかに見える。東の隅に一夜作りの舞台を設けて、ここでいわゆる高知のなんとか踊りをやるんだそうだ。舞台を右へ半町ばかりくると葭簀(あしで編んだすだれ)の囲いをして、活け花が陳列してある。みんなが感心して眺めているが、いっこうくだらないものだ。あんなに草や竹を曲げて嬉しがるなら、せむしの色男や、びっこの亭主を持って自慢するがよかろう。

舞台とは反対の方面で、しきりに花火を揚げる。花火の中から風船が出た。帝国万歳とかいてある。天主の松（天守閣のこと）の上をふわふわ飛んで営所（兵営）のなかへ落ちた。次はぽんと音がして、黒い団子が、しゅっと秋の空を射抜くように揚がると、それがおれの頭の上で、ぽかりと割れて、青い烟が傘の骨のように開いて、だらだらと空中に流れ込んだ。風船がまた上がった。今度は陸海軍万歳と赤地に白く染め抜いた奴が風に揺られて、温泉の町から、相生村のほうへ飛んでいった。おおかた観音様の境内へでも落ちたろう。

式のときはさほどでもなかったが、今度はたいへんな人出だ。田舎にもこんなに人間が住んでるかと驚いたくらいうじゃうじゃしている。利口な顔はあまり見当たらないが、数からいうとたしかに馬鹿にできない。そのうち評判の高知のなんとか踊りが始まった。踊りというから藤間（日本舞踊の流派の一つ）かなんぞのやる踊りかと早合点していたが、これは大間違いであった。

いかめしい後ろ鉢巻きをして、*立っ付け袴（一七五ページ）をはいた男が十人ばかりずつ、舞台の上に三列に並んで、その三十人がことごとく抜き身をさげているにはたまげた。前列と後列の間はわずか一尺五寸ぐらい（やく四十五センチ）だろう、左右の間隔はそれより短いとも長くはない。たった一人列を離れて舞台の端に立ってるのがあるばかりだ。この仲間はずれの男は袴だけはつけているが、後ろ鉢巻き（後ろでむすんだ鉢巻きをした人）は倹約して、抜き身（ぬきはなした刀）の代わりに、胸へ太鼓を掛けている。太鼓は太神楽（獅子舞・皿まわしなどの曲芸）の太鼓と同じ物だ。この男がやがて、いやあ、はああと呑気な声を出して、妙な謡をうたいながら、太鼓をぼこぼん、ぼこぼんと叩く。歌の調子は前代未聞の不思議なものだ。＊三河万歳と普陀洛（一七五ページ）やの合併したものと思えばたいした間違いにはならない。

歌はすこぶる悠長（のんびりした）なもので、夏分の水飴のように、だらしがないが、句切りをとるためにぼこぼんを入れるから、のべつ（切れまなく）のようでも拍子は取れる。この拍子に応じて三十人の抜き身がぴかぴかと光るのだが、これはまたすこぶる迅速（すばやい）なお手際（できばえ）で、拝見していても冷や冷やする。隣も後ろも一尺五寸以内に生きた人間がいて、その人間がまた切れる抜き身を自分と同じように振り舞わすのだから、よほど調子が揃わなければ、同志撃ちを始めて怪我をすることになる。それも動かないで刀だけ前後とか上下とかに振るのなら、まだ危険もないが、三十人が一度に足踏みをして横を向くときがある。ぐるりと回ることがある。ひざを曲げることがある。隣のものが一秒でも早すぎるか、遅すぎれば、自分の鼻は落ちるかもしれない。隣の頭はそがれるかもしれない。抜き身の動くのは自由自在だが、その動く範囲は一尺五寸角の柱のうちにかぎられたうえに、前後左右のものと同方向に同速度にひらめかなければならない。こいつは驚いた、なかなかもって汐酌みや＊関の戸（常磐津浄瑠璃「積恋雪関扉」のこと）の及ぶところでない。聞いてみると、これははなはだ（とっても）熟練のいるもので容易なことでは、こういうふうに調子が合わないそうだ。ことにむずかしいのは、かの万歳節のぼこぼん先生だそうだ。三十人の足の運びも、手の働きも、腰の曲げ方も、ことごとく（すべて）このぼこぼん君の拍子一つできまるのだそうだ。はた（わき）で見ていると、この大将がいちばん呑気そうに、いやあ、はああと気楽にうたってるが、その実ははなはだ責任が重くって非常に骨が折れるとは不思議なものだ。

おれと山嵐が感心のあまりこの踊りを余念なく（熱心に）見物していると、半町ばかり、向こうのほうできゅうにわっという鬨の声がして、今まで穏やかに諸所を縦覧していた（思いのままに見物していた）連中が、にわかに波を打って、右左に揺き始める。喧嘩だ喧嘩だという声がすると思うと、人の袖をくぐり抜けてきた赤シャツの弟が、先生また喧嘩です、中学のほうで、けさの意趣返し（しかえし）をするんで、また師範の奴と決戦を始めたところです、早くきてくださいといいながらまた人の波のなかへ潜り込んでどっかへいってしまった。

山嵐は世話のやける小僧だまた始めたのか、いい加減にすればいいのにと逃げる人をよけなが

**立っ付け袴**（一七二ページ）

ひざのところをひもでくくり、下の方を脚絆仕立てにした袴で、相撲の呼び出しなどが使っている。

**三河万歳と普陀落や**（一七三ページ）

三河万歳は、太夫・才蔵の二人組が、おもしろい掛け合いや祝いのことばを歌ったりするもの。普陀落やは、観音さまの霊場、普陀落をよみこんだ御詠歌を歌って歩く人で、どちらも家々をまわって祝儀をもらっていた。

ら一散に馳けだした（わきめもふらずにかけだした）。見ているわけにもゆかないから取り鎮めるつもりだろう。おれは無論のこと逃げる気はない。山嵐の踵をふんで（すぐ後ろに続いて）あとからすぐ現場へ馳けつけた。喧嘩は今が真っ最中である。師範のほうは五、六十人もあろうか、中学はたしかに三割がた多い。師範は制服をつけているが、中学は式後たいていは日本服に着換えているから、敵味方はすぐわかる。しかし入り乱れて組んず、解れつ戦ってるから、どこから、どう手をつけて引き分けていいか分からない。山嵐は困ったなという風で、しばらくこの乱雑な有り様を眺めていたが、こうなっちゃ仕方がない。巡査がくると面倒だ。飛び込んで分けようと、おれのほうを見ていうから、おれは返事もしないで、いきなり、いちばん喧嘩の激しそうなところへ躍り込んだ。止せ止せ。そんな乱暴をすると学校の体面（名誉）にかかわる。よさないかと、出るだけの声を出して敵と味方の分界線（さかいめ）らしいところを突き貫けようとしたが、なかなかそううまくはゆかない。一、二間はいったら、出ることも引くこともできなくなった。目の前に比較的大きな師範生が、十五、六の中学生と組み合っている。止せといったら、止さないかと師範生の肩を持って、無理に引き分けようとするとたんにだれか知らないが、下からおれの足をすくった。おれは不意を打たれて（とつぜんのことで）握った、肩を放して、横に倒れた。堅い靴でおれの背中の上へ乗った奴がある。両手と膝を突いて下から、はね起きたら、乗った奴は右のほうへころがり落ちた。起きあがって見ると、三間ばかり向こうに山嵐の大きな身体が生徒の間にはさまりながら、止せ止せ、喧嘩は止せ止せともみ返されてるのが見えた。おい到底駄目だといってみたが聞こえないのか返事もしない。

ひゅうと風を切って飛んできた石が、いきなりおれの頬骨へあたったなと思ったら、後ろからも、背中を棒でどやした（なぐりつけた）奴がある。教師のくせに出ている、打て打てという声がする。教師は二人だ。大きい奴と、小さい奴だ。石を投げろ。という声もする。おれは、なに生意気なことをぬかすな、田舎者のくせにと、いきなり、傍にいた師範生の頭を張りつけてやった。石がまたひゅうとくる。今度はおれの五分刈り（二・五センチぐらいに短く刈った髪型）の頭をかすめて後ろのほうへ飛んでいった。山嵐はどうなったか見えない。こうなっちゃ仕方がない。始めは喧嘩をとめにはいったんだが、どやされたり、石をなげられたりして、恐れ入って引き下がるうんでれがん（ばか）があるものか。おれをだれだと思うんだ。身長は小さくっても喧嘩の本場で修業を積んだ兄さんだと無茶苦茶に張り飛ばしたり、張り

飛ばされたりしていると、やがて巡査だ巡査だ逃げろ逃げろという声がした。今まで*葛練りの中で泳いでるように身動きもできなかったのが、きゅうに楽になったと思ったら、敵も味方も一度に引き上げてしまった。田舎者でも退却は巧妙だ。クロパトキン（ロシアの将軍。一八四八－一九二六）よりうまいくらいである。山嵐はどうしたかと見ると、紋付きの一重羽織をずたずたにして、向こうのほうで鼻を拭いている。鼻柱をなぐられてだいぶ出血したんだそうだ。鼻がふくれあがって真っ赤になってすこぶる見苦しい。おれは飛白（かすったような模様のある織物）の袷を着ていたから泥だらけになったけれども、山嵐の羽織ほどな損害はない。しかし頬ぺたがぴりぴりしてたまらない。山嵐はだいぶ血が出ているぜと教えてくれた。

巡査は十五、六名きたのだが、生徒は反対の方面から退却したので、捕まったのは、おれと山嵐だけである。おれらは姓名をつげて、一部始終（はじめから終わりまで）を話したら、ともかく警察までこいというから、警察へいって、署長の前で事の顚末（事件のなりゆきを話して）を述べて下宿へ帰った。

十一

あくる日眼が覚めてみると、身体じゅう痛くてたまらない。久しく喧嘩をしつけなかったから、こんなに答えるんだろう。これじゃあんまり自慢もできないと床の中で考えていると、婆さんが

**葛練り** 葛粉を水にといて砂糖を加えて煮て練ったもの。ここでは葛湯のこと。

四国新聞を持ってきて枕もとへ置いてくれた。じつは新聞を見るのも退儀(つかれる)なんだが、男がこれしきのことにへこたれてしようがあるものかと無理に腹ばいになって、寝ながら、二頁をあけて見ると驚いた。きのうの喧嘩がちゃんと出ている。喧嘩の出ているのは驚かないのだが、中学の教師堀田某と、近頃東京から赴任した生意気なる某とが、順良なる生徒を使嗾(そそのかして)この騒動を喚起(ひきおこす)せるのみならず、両人は現場にあって生徒を指揮したるうえ、みだりに(やたらに)師範生に向かって暴行をほしいままにしたりと書いて、次にこんな意見が付記してある。本県の中学は昔時より善良温順の気風をもって全国の羨望(うらやむ)するところなりしが、軽薄なる二豎子(二人の青二才)のためにわが校の特権を毀損(やぶりこわされて)せられて、この不面目(不名誉)を全市に受けたる以上は、吾人(われわれ)は奮然として起ってその責任を問わざるを得ず。吾人は信ず、吾人が手を下す前に、当局者は相当の処分をこの無頼漢(ごろつき)の上に加えて、彼らをして再び教育界に足を入るる余地なからしむることを。そうして一字ごとにみんな黒点を加えて、お灸を据えたつもりでいる。おれは床の中で、糞でも食らえといいながら、むっくり飛び起きた。不思議なことに今まで身体の関節が非常に痛かったのが、飛び起きると同時に忘れたように軽くなった。

おれは新聞を丸めて庭へ投げつけたが、それでもまだ気に入らなかったから、わざわざ後架（便所）へ持っていって捨ててきた。新聞なんて無暗な嘘をつくもんだ。世の中になにがいちばん法螺を吹く（でたらめをいう）といって、新聞ほどの法螺吹きはあるまい。おれのいってしかるべきことをみんな向こうで並べていやがる。それに近頃東京から赴任した生意気な某（はっきり名をいわずにさす語）とはなんだ。天下に某という名前の人があるか。考えてみろ。これでも歴然とした姓もあり名もあるんだ。系図が見たけりゃ、多田満仲以来の先祖を一人残らず拝ましてやらあ。——顔を洗ったら、頬ぺたがきゅうに痛くなった。婆さんに鏡をかせといったら、けさの新聞をお見たかなもしと聞く。読んで後架へ捨ててきた。ほしけりゃ拾ってこいといったら、驚いて引き下がった。鏡で顔を見るときのうと同じように傷がついている。これでも大事な顔だ、顔へ傷までつけられたうえへ生意気なる某などと、某呼ばわりをされればたくさんだ。

きょうの新聞に辟易（しりごみ）して学校を休んだなどといわれちゃ一生の名折れ（不名誉）だから、飯を食っていの一号に出頭した。出てくる奴も、出てくる奴もおれの顔を見て笑っている。なにがおかしいんだ。

貴様たちにこしらえてもらった顔じゃあるまいし。そのうち、野だが出てきて、いや昨日はお手柄で、――名誉の御負傷でげすか、と送別会のときに擲った返報と心得たのか、いやに冷やかしたから、よけいなことをいわずに絵筆でも舐めていろといってやった。するとこりゃ恐れ入りやした。しかしさぞお痛いことでげしょうというから、痛かろうが、痛くなかろうがおれの面だ。貴様の世話になるもんかと怒鳴りつけてやったら、向こう側の自席へ着いて、やっぱりおれの顔を見て、隣の歴史の教師となにか内所話をして笑っている。

それから山嵐が出頭した。山嵐の鼻に至っては、紫色に膨張して、（底本どおり。誤植か？）堀ったら中から膿が出そうに見える。自惚れのせいか、おれの顔よりよっぽど手ひどくやられている。おれと山嵐は机を並べて、隣同志の近しい仲で、おまけにその机が部屋の戸口から真正面にあるんだから運がわるい。妙な顔が二つ塊まっている。ほかの奴は退屈にさえなるときっとこっちばかり見る。飛んだことでと口でいうが、心のうちではこの馬鹿がと思ってるに相違ない。それでなければああいう風にささやき合ってはくすくす笑うわけがない。教場へ出ると生徒は拍手をもって迎えた。先生万歳というものが二、三人あった。景気がいいんだか、馬鹿にされてるんだか分からない。おれと山嵐がこんなに注意の焼点（焦点。注目のまと）となってるなかに、赤シャツばかりは平常のとおり傍へきて、どうも飛んだ災難でした。僕は君らに対してお気の毒でなりません。新聞の記事は校長とも相談して、正誤を申し込む（訂正を申し入れる）手続きにしておいたから、心配しなくてもいい。僕の弟が堀田君を誘いにいったから、こんなことが起こったので、僕はじつに申しわけがない。それでこの件についてはあくまで尽力する（力をつくす）つもりだから、どうかあしからず（悪く思わないでください）、などと半分謝罪的な言葉を並べている。校長は三時間目に校長室から出てきて、困ったことを新聞がかきだしましたね。むずかしくならなければいいがと多少心配そうに見えた。おれには心配なんかない、先で免職をするなら、免職される前に辞表を出してしまうだけだ。しかし自分がわるくないのにこっちから身を引くのは法螺吹きの新聞屋をますます増長させる（つけあがらせる）わけだから、新聞屋を正誤させて、おれが意地にも務めるのが順当（当然だ）だと考えた。帰りがけに新聞屋に談判（かけあい）にゆこうと思ったが、学校から取り消しの手続きはしたというから、やめた。

おれと山嵐は校長と教頭に時間の合間を見計らって、嘘のないところを一応説明した。校長と教頭はそうだろう、新聞屋が学校に恨みをいだいて、あんな記事をことさらに掲げたんだろうと論断した（話し合ったうえ断定する）。赤シャツはおれらの行為を弁解しながら控え所を一人ごとに回ってあるいていた。ことに自分の弟が山嵐を誘いだしたのを自分の過失であるかの如く吹聴していた。みんなはまっ

たく新聞屋がわるい、怪しからん、両君はじつに災難だといった。

帰りがけに山嵐は、君赤シャツは臭いぜ、用心しないとやられるぜと注意した。どうせ臭いんだ、きょうから臭くなったんじゃなかろうというと、君まだ気がつかないか、きのうわざわざ、僕らを誘いだして喧嘩のなかへ、巻き込んだのは策だぜと教えてくれた。なるほどそこまでは気がつかなかった。山嵐は粗暴（動作や性質があらっぽい）なようだが、おれより知慧のある男だと感心した。

「ああやって喧嘩をさせておいて、すぐあとから新聞屋へ手を回してあんな記事をかかせたんだ。じつに奸物（悪ぢえのはたらく悪人）だ」

「新聞までも赤シャツか。そいつは驚いた。しかし新聞が赤シャツのいうことをそうたやすくきくかね」

「きかなくって。新聞屋に友達がいりゃわけはないさ」

「友達がいるのかい」

「いなくてもわけないさ。嘘をついて、事実これこれだと話しゃ、すぐ書くさ」

「ひどいもんだな。ほんとうに赤シャツの策なら、僕らはこの事件で免職になるかもしれないね」

「わるくすると、やられるかもしれない」

「そんなら、おれはあした辞表を出してすぐ東京へ帰っちまわあ。こんな下等なところに頼んだっているのはいやだ」

「君が辞表を出したって、赤シャツは困らない」

「それもそうだな。どうしたら困るだろう」

「あんな奸物のやることは、なんでも証拠の挙がらないように、挙がらないようにと工夫するんだから、反駁（反論する）するのはむずかしいね」

「厄介（めんどう）だな。それじゃ濡れ衣を着る（無実の罪をうける）んだね。面白くもない。天道是か非か（自然の道理）だ」

「まあ、もう二、三日様子を見ようじゃないか。それでいよいよとなったら、温泉の町で取って抑えるより仕方がないだろう」

「喧嘩事件は、喧嘩事件としてか」

「そうさ。こっちはこっちで向こうの急所を抑えるのさ」

「それもよかろう。おれは策略は下手なんだから、万事（すべて）よろしく頼む。いざとなればなんでもする」

おれと山嵐はこれで分かれた。赤シャツがはたして山嵐の推察どおりをやったのなら、じつにひどい奴だ。到底知慧比べで勝てる奴ではない。どうしても腕力でなくっちゃ駄目だ。なるほど世界に戦争は絶えないわけだ。個人でも、とどのつまり(けっきょくは)は腕力だ。

あくる日、新聞のくるのを待ちかねて、ひらいてみると、正誤どころか取り消しも見えない。学校へいって狸に催促すると、あしたぐらい出すでしょうという。あしたになって*六号活字で小さく取り消しが出た。しかし新聞屋のほうで正誤は無論しておらない。また校長に談判すると、あれより手続きのしようはないのだという答えだ。校長なんて狸のような顔をして、いやにフロック張って(フロックコートを着てものものしいかっこうをしている)いるが存外無勢力なものだ。虚偽の記事を掲げた田舎新聞一つ詫まらせることができない。あんまり腹が立ったから、それじゃわたしが一人でいって*主筆に談判するといったら、それはいかん、君が談判すればまた悪口を書かれるばかりだ。つまり新聞屋にかかれたことは、うそにせよ、本当にせよ、つまりどうすることもできないものだ。

**六号活字** やく三ミリ角の小さな活字で、おもに有名人のようすを伝える新聞の欄などに使われた。

**主筆** 新聞社や雑誌社などで一番の記者として、社説や論説などの重要な記事を書く人。

あきらめるよりほかに仕方がないと、坊主の説教じみた説諭を加えた。新聞がそんなものなら、一日も早くぶっつぶしてしまったほうが、われわれの利益だろう。新聞にかかれるのと、泥鼈*(一九一ページ)に食いつかれるとが似たり寄ったりだとは今日ただ今狸の説明によって始めて承知つかまつった。

それから三日ばかりして、ある日の午後、山嵐が憤然とやってきて、いよいよ時機がきた、おれは例の計画を断行(おしきって実行する)するつもりだというから、そうかそれじゃおれもやろうと、即座に一味徒党(なかま入り)に加盟した。ところが山嵐が、君はよすほうがよかろうと首を傾けた。なぜと聞くと君は校長に呼ばれて辞表を出せといわれたかと尋ねるから、いやいわれない。君は？ とき返すと、きょう校長室で、まことに気の毒だけれども、事情やむを得んから処決(決断して)してくれといわれたとのことだ。

「そんな裁判はないぜ。狸はおおかた腹鼓をたたきすぎて、胃の位置が顛倒(ひっくりかえった)したんだ。君とおれは、いっしょに、祝勝会へ出てさ、いっしょに高知のぴかぴか踊りを見てさ、いっしょに喧嘩をとめにはいったんじゃないか。辞表を出せというなら公平に両方へ出せというがいい。なんで田舎の学校はそう理屈が分からないんだろう。じれったいな」

「それが赤シャツの指し金(うらから人をそそのかしてあやつる)だよ。おれと赤シャツとは今までのゆきがかり上到底両立しない人間だが、君のほうは今のとおり置いても害にならないと思ってるんだ」

「おれだって赤シャツと両立するものか。害にならないと思うなんて生意気だ」

「君はあまり単純すぎるから、置いたって、どうでもごまかされると考えてるのさ」

「なお悪いや。だれが両立してやるものか」

「それにせんだって（このあいだ）古賀が去ってから、まだ後任が事故のために到着しないだろう。そのうえに君と僕を同時に追いだしちゃ、生徒の時間に明きができて、授業にさし支えるからな」

「それじゃおれを間のくさび（間をつなぐために）に一席伺わせる（寄席などで話をすること。ここでは授業をすること）気なんだな。こん畜生、だれがその手に乗るものか」

翌日おれは学校へ出て校長室へはいって談判を始めた。

「なんでわたしに辞表を出せといわないんですか」

「へえ?」と狸はあっけに取られている。

「堀田には出せ、わたしには出さないでいいという法がありますか」

「それは学校のほうの都合で……」

「その都合が間違ってまさあ。わたしが出さなくって済むなら堀田だって、出す必要はないでしょう」

「その辺は説明ができかねますが——堀田君は去られてもやむを得んのですが、あなたは辞表をお出しになる必要を認めませんから」

なるほど狸だ、要領を得ないことばかり並べて、しかも落ち付きはらってる。おれはしようがないから
「それじゃわたしも辞表を出しましょう。堀田君一人辞職させて、わたしが安閑（のんびりして）として、留まっていられると思っていらっしゃるかもしれないが、わたしにはそんな不人情なことはできません」

「それは困る。堀田も去りあなたも去ったら、学校の数学の授業がまるでできなくなってしまうから……」

「できなくなってもわたしの知ったことじゃありません」

「君そうわがままをいうものじゃない、少しは学校の事情も察してくれなくっちゃ困る。それに、きてから一月たつかたたないのに辞職したというと、君の将来の履歴（学業・職業などの経歴）に関係するから、その辺も少しは考えたらいいでしょう」

「履歴なんか構うもんですか、履歴より義理が大切です」

「そりゃごもっとも——君のいうところは一々ごもっともだが、わたしのいうほうも少しは察し

**泥鼈**（一八八ページ）
こうらがやわらかく筋のない、淡水産のかめ。性質はあらあらしく、ものに食いつく力が強い。食用にされる。

てください。君がぜひ辞職するというなら辞職されてもいいから、代わりのあるまでどうかやってもらいたい。とにかく、うちでもう一ぺん考え直してみてください」

考え直すって、直しようのない明々白々たる理由だが、狸が蒼くなったり、赤くなったりして、可愛想になったからひとまず考え直すこととして引き下がった。赤シャツには口もきかなかった。どうせやっつけるなら塊めて（まとめて）、うんとやっつけるほうがいい。

山嵐に狸と談判した模様を話したら、おおかた（だいたい）そんなことだろうと思った。辞表のことはいざとなるまでそのままにしておいても差し支えあるまいとの話だったから、山嵐のいうとおりにした。どうも山嵐のほうがおれよりも利巧らしいから万事山嵐の忠告に従うことにした。

山嵐はいよいよ辞表を出して、職員一同に告別の挨拶をして浜の港屋まで下がったが、人に知れないように引き返して、温泉の町の枡屋の表二階へ潜んで、障子へ穴をあけて覗きだした。これを知ってるものはおればかりだろう。赤シャツが忍んでくればどうせ夜だ。しかも宵の口（夜になってまもない時）は生徒やその他の目があるから、少なくとも九時過ぎにきまってる。最初の二晩はおれも十一時頃まで張り番をしたが、赤シャツの影も見えない。三日目には九時から十時半まで覗いたがやはり駄目だ。駄目を踏んで（失敗して）夜なかに下宿へ帰るほど馬鹿げたことはない。四、五日すると、うちの婆さんが少々心配を始めて、奥さんのお有りるのに、夜遊びはおやめたがええぞなもしと忠告した。そんな夜遊びとは夜遊びが違う。こっちのは天に代わって誅戮を加える夜遊びだ。とはいうものの一週間も通って、少しも験が見えない（ききめがない）と、いやになるもんだ。おれは性急な性分だから、熱心になると徹夜でもして仕事をするが、その代わりなんによらず（なんでも）長持ちのした試しがない。いかに天誅党でも飽きることに変わりはない。六日目には少々いやになって、七日目にはもう休もうかと思った。そこへゆくと山嵐は頑固なものだ。宵から十二時過ぎまでは眼を障子へつけて、角屋の丸ぼやのガス灯（石炭ガスを燃やし、その光を利用した街灯）の下をにらめっきりである。おれがゆくときょうは何人客があって、泊まりが何人、女が何人といろいろな統計を示すのには驚いた。どうもこないようじゃないかというと、うん、たしかにくるはずだがとときどき腕組みをして溜め息をつく。可愛想に、もし赤シャツがここへ一度きてくれなければ、山嵐は、生涯天誅を加えることはできないのである。

八日目には七時頃から下宿を出て、まずゆるりと湯にはいって、それから町で鶏卵を八つ買った。これは下宿の婆さんの芋責めに応ずる策である。その玉子を四つずつ左右の袂へ入れて、例の赤手拭いを肩へ乗せて、懐手をしながら、枡屋の楷子段を登って山嵐の座敷の障子をあけると、おい有望有望と韋駄天のような顔はきゅうに活気を呈した(いきいきしてきた)。昨夜までは少し塞ぎの気味(気分がしずみがちで)で、はたで見ているおれさえ、陰気くさいと思ったくらいだが、この顔色を見たら、おれもきゅうにうれしくなって、なにも聞かない先から、愉快愉快といった。

「今夜七時半頃あの小鈴という芸者が角屋へはいった」

「赤シャツといっしょか」

「いいや」

「それじゃ駄目だ」

「芸者は二人づれだが、――どうも有望らしい」

「どうして」

「どうしてって、ああいう狡い奴だから、芸者を先へよこして、あとから忍んでくるかもしれない」

「そうかもしれない。もう九時だろう」

「今九時十二分ばかりだ」と帯の間からニッケル製の時計を出して見ながらいったが「おい洋燈を消せ、障子へ二つ坊主頭が写ってはおかしい。狐はすぐ疑ぐるから」

おれは*一貫張りの机の上にあった*置き洋燈をふっと吹きけした。星明かりで障子だけは少々あかるい。月はまだ出ていない。おれと山嵐は一生懸命に障子へ面をつけて、息をこらしている。

チーンと九時半の柱時計が鳴った。

「おいくるだろうかな。今夜こなければ僕はもう厭だぜ」

「おれは銭のつづく限りやるんだ」

「銭っていくらあるんだい」

「きょうまでで八日分五円六十銭払った。いつ飛び出しても都合のいいように毎晩勘定するんだ」

「それは手回しがいい。宿屋で驚いてるだろう」

「宿屋はいいが、気が放せないから困る」

**一貫張り** 正しくは一閑張り。明の帰化人飛来一閑が作ったという、木製の原型に紙をはり固め、うるしぬりにした細工。

**置き洋燈** 石油をつかった灯火具の一つ。

**天網恢々疎にして洩らし……** 本来は「洩らさず」で、天の網は目があらいようだが、もらすことがない、つまり悪事にはかならず報いがあるという意味の「老子」の格言を、反対にもらしてしまう、失敗してしまうと茶化している。

「その代わり昼寝をするだろう」

「昼寝はするが、外出ができないんで窮屈でたまらない」

「天誅(天にかわってこらしめること)も骨が折れるな。これで*天網恢々疎にして洩らしちまったり、なんかしちゃ、つまらないぜ」

「なに今夜はきっとくるよ。——おい見ろ見ろ」と小声になったから、おれは思わずどきりとした。黒い帽子を戴いた男が、角屋のガス燈を下から見上げたまま暗いほうへ通り過ぎた。違っている。おやおやと思った。そのうち帳場の時計が遠慮もなく十時を打った。今夜もとうとう駄目らしい。

世間はだいぶ静かになった。遊廓で鳴らす太鼓が手に取るように聞こえる。月が温泉の山の後ろからのっと顔を出した。往来(道路)はあかるい。すると、下のほうから人声が聞こえだした。窓から首を出すわけにはゆかないから、姿を突き留めることはできないが、だんだん近づいてくる模様だ。からんからんと駒下駄を引きずる音がする。

眼を斜めにするとやっと二人の影法師が見えるくらいに近づいた。

「もう大丈夫ですね。邪魔ものは追っ払ったから」まさしく野だの声である。「強がるばかりで策がないから、しようがない」これは赤シャツだ。「あの男もべらんめえに似ていますね。あのべらんめえときたら、勇み肌（強きをくじき弱きを助ける気風。ここでは、おっちょこちょいのこと）の坊っちゃんだから愛嬌がありますよ」「増給がいやだの辞表が出したいのって、ありゃどうしても神経に異状があるに相違ない」おれは窓をあけて、二階から飛びおりて、思うさまぶちのめしてやろうと思ったが、やっとのことで辛抱した。二人はハハハハと笑いながら、ガス燈の下をくぐって、角屋の中へはいった。

「おい」

「おい」

「きたぜ」

「とうとうきた」

「これでようやく安心した」

「野だの畜生、おれのことを勇み肌の坊っちゃんだと抜かしやがった（言いやがった）」

「邪魔物というのは、おれのことだぜ。失敬千万な（失礼このうえない）」

おれと山嵐は二人の帰路を要撃（まちぶせ）しなければならない。しかし二人はいつ出てくるか見当がつかない。山嵐は下へいって今夜ことによると夜中に用事があって出るかもしれないから、出られるようにしておいてくれと頼んできた。今思うと、よく宿のものが承知したものだ。たいていなら泥棒と間違えられるところだ。

赤シャツのくるのを待ち受けたのはつらかったが、出てくるのをじっと待ってるのはなおつらい。寝るわけにはゆかないし、始終障子の隙からにらめているのもつらいし、どうも、こうも心が落ちつかなくって、これほど難儀（めんどう）な思いをしたことはいまだにない。いっそのこと角屋へ踏み込んで現場を取って抑えようと発議（提案した、意見を言った）したが、山嵐は一言にして、おれの申し出を斥けた。自分どもが今時分飛び込んだって、乱暴者だといって途中でさえぎられる。わけを話して面会を求めればいないと逃げるか別室へ案内をする。不用意のところへ踏み込めると仮定したところで何十とある座敷のどこにいるか分かるものではない、退屈でも出るのを待つよりほかに策はないというから、ようやくのことでとうとう朝の五時まで我慢した。

角屋から出る二人の影を見るや否や、おれと山嵐はすぐあとを尾けた。一番汽車はまだないから、二人とも城下まであるかなければならない。温泉の町をはずれると一丁ばかりの杉並木があって左右は田圃になる。それを通りこすとここかしこ（あちこちに）に*藁葺きがあって、畠の中を一筋に城下まで通る土手へ出る。町さえはずれれば、どこで追いついても構わないが、なるべくなら、人家のない、杉並木で捕まえてやろうと、見えがくれ（見えたりかくれたりしながら）についてきた。町をはずれるときゅうに馳け足の姿勢で、はやて（きゅうにはげしく吹きおこる風）のように後ろから、追いついた。なにがきたかと驚いて振り向く奴を待てといって肩に手をかけた。野だは狼狽の気味で（うろたえたふうで）逃げだそうという景色（ようす）だったから、おれが前へ回って行く手を塞いでしまった。

「教頭の職をもってるものがなんで角屋へいって泊まった」と山嵐はすぐ詰りかけた（とがめはじめた）。

「教頭は角屋へ泊まって悪いという規則がありますか」と赤シャツは依然として鄭寧な言葉を使ってる。顔の色は少々蒼い。

「取り締まり上不都合だから、蕎麦屋や団子屋へさえはいっていかんと、いうくらい謹直（まじめな）な人が、なぜ芸者といっしょに宿屋へとまり込んだ」野だは隙を見ては逃げだそうとするからおれはすぐ前に立ちふさがって「べらんめえの坊っちゃんたなんだ」と怒鳴りつけたら、「いえ君のことをいったんじゃないんです、まったくないんです」と鉄面皮（はじ知らずであつかましい）にいいわけがましいことをぬかした。おれはこのとき気がついてみたら、両手で自分の*袂を握ってる。追っかけるときに袂の中の卵がぶらぶら

**藁葺き**
わらでふいた屋根の家のこと。

**袂**
和服のそでつけの下の袋の部分。ものを入れるのに使う。

袂

して困るから、両手で握りながらきたのである。おれはいきなり袂へ手を入れて、玉子を二つ取り出して、やっといいながら、野だの面へ擲きつけた。玉子がぐちゃりと割れて鼻の先から黄味がだらだら流れだした。野だはよっぽど仰天したものと見えて、わっといいながら、尻持ちをついて、助けてくれといった。おれは食うために玉子は買ったが、ぶつけるために袂へ入れてるわけではない。ただ肝癪のあまりに、ついぶつけるともなしにぶつけてしまったのだ。しかし野だが尻持ちを突いたところを見て始めて、おれの成功したことに気がついたから、こん畜生、こん畜生といいながら残る六つをむちゃくちゃに擲きつけたら、野だは顔じゅう黄色になった。

おれが玉子をたたきつけているうち、山嵐と赤シャツはまだ談判最中である。

「芸者を連れて僕が宿屋へ泊まったという証拠がありますか」

「宵に貴様のなじみの芸者が角屋へはいったのを見ていうことだ。

ごまかせるものか」

「ごまかす必要はない。僕は吉川君と二人で泊まったのである。芸者が宵にはいろうが、はいるまいが、僕の知ったことではない」

「だまれ」と山嵐は拳骨を食らわした。赤シャツはよろよろしたが「これは乱暴だ、狼藉（暴行）である。理非を弁じないで（是非を話し合わないで）腕力に訴えるのは無法だ（理にあわない。らんぼうだ）」

「無法でたくさんだ」とまたぽかりとなぐる。「貴様のような奸物（心のひねくれた人）はなぐらなくっちゃ、答えないんだ」とぽかぽかとなぐる。おれも同時に野だをさんざんにたたき据えた。しまいに二人とも杉の根方（根元）にうずくまって動けないのか、眼がちらちらするのか逃げようともしない。

「もうたくさんか、たくさんでなけりゃ、まだなぐってやる」とぽかんぽかんと両人でなぐったら「もうたくさんだ」といった。野だに「貴様もたくさんか」と聞いたら「無論たくさんだ」と答えた。

「貴様らは奸物だから、こうやって天誅を加えるんだ。これに懲りて以来つつしむがいい。いくら言葉巧みに弁解が立っても正義は許さんぞ」と山嵐がいったら両人ともだまっていた。ことによると口をきくのが退儀（めんどう）なのかもしれない。

「おれは逃げも隠れもせん。今夜五時までは浜の港屋にいる。用があるなら巡査なりなんなり、よこせ」と山嵐がいうから、おれも「おれも逃げも隠れもしないぞ。堀田と同じところに待ってるから警察へ訴えたければ、勝手に訴えろ」といって、二人してすたすたあるきだした。

おれが下宿へ帰ったのは七時少し前である。部屋へはいるとすぐ荷作りを始めたら、婆さんが驚いて、どうおしるのぞなもし(なさるのですか)と聞いた。お婆さん、東京へいって奥さんを連れてくるんだと答えて勘定をすまして、すぐ汽車へ乗って浜へきて港屋へ着くと、山嵐は二階で寝ていた。おれはさっそく辞表を書こうと思ったが、なんと書いていいか分からないから、私儀都合有之辞職のうえ東京へ帰り申候につき左様御承知被下度候以上とかいて校長宛にして郵便で出した。

汽船は夜六時の出帆である。山嵐もおれも疲れて、ぐうぐう寝込んで眼が覚めたら、午後二時であった。下女に巡査はこないかと聞いたら参りませんと答えた。「赤シャツも野だも訴えなかったなあ」と二人で大きに笑った。

その夜おれと山嵐はこの不浄な地を離れた。船が岸を去れば去るほどいい心持ちがした。神戸から東京までは直行で新橋へ着いたときは、ようやく娑婆(自由な世界)へ出たような気がした。山嵐とはすぐ分かれたぎりきょうまで逢う機会がない。

清のことを話すのを忘れていた。――おれが東京へ着いて下宿へもゆかず、革鞄をさげたまま、清や帰ったよと飛び込んだら、あら坊っちゃん、よくまあ、早く帰ってきてくださったと涙をぽたぽたと落とした。おれもあまり嬉しかったから、もう田舎へはゆかない、東京で清とうちを持つんだといった。

その後ある人の周旋で街鉄（いまの都電）の技手になった。月給は二十五円で、家賃は六円だ。清は玄関付きの家でなくってもしごく（とても）満足の様子であったが気の毒なことに今年の二月肺炎にかかって死んでしまった。死ぬ前日おれを呼んで坊っちゃん後生（どうぞお願いですから）だから清が死んだら、坊っちゃんのお寺へ埋めてください。お墓のなかで坊っちゃんのくるのを楽しみに待っておりますといった。だから清の墓は小日向の養源寺にある。

（一九〇六年）

# 文鳥（ぶんちょう）

十月早稲田に移る。伽藍（お寺のようにさびしい）のような書斎にただ一人、片付けた（とりすました）顔を頬杖で支えていると、*三重吉が来て、鳥をお飼いなさいという。飼ってもいいと答えた。しかし念のためだから、なにを飼うのかねときいたら、文鳥ですという返事であった。

文鳥は三重吉の小説（明治四十年に発表した「三月七日」のこと）に出てくるくらいだから奇麗な鳥にちがいなかろうと思って、じゃ買ってくれたまえと頼んだ。ところが三重吉はぜひお飼いなさいと、同じようなことを繰り返している。うむ買うよ買うよとやはり頬杖を突いたままで、むにゃむにゃいってるうちに三重吉は黙ってしまった。おおかた頬杖に愛想を尽かした（いやになってあきらめた）んだろうと、このとき始めて気が付いた。

すると三分ばかりして、今度は籠をお買いなさいといいだした。これもよろしいと答えると、ぜひお買いなさいと念を押す（たしかめる）代わりに、*（二一一ページ）鳥籠の講釈（説明）を始めた。その講釈はだいぶ込み入った（細かいことまでくわしい）であったが、気の毒なことに、みんな忘れてしまった。ただ好いのは*二十円ぐらいするという段になって、きゅうにそんな高価のでなくってもよかろうといっておいた。三重吉はにやにやしている。

それからぜんたいどこで買うのかと聞いてみると、なにどこの鳥屋にでもありますと、じつに平凡な答えをした。籠はと聞き返すと、籠ですか、籠はそのなんですよ、なにどこにかあるでしょう、とまるで雲を攫むような寛大（おおような）なことをいう。でも君あてがなくっちゃいけなかろうと、あたかもいけないような顔をしてみせたら、三重吉は頬ぺたへ手を宛てて、なんでも駒込に籠の名人があるそうですが、年寄りだそうですから、もう死んだかもしれませんと、非常に心細くなってしまった。

なにしろいいだしたものに責任を負わせるのは当然のことだから、さっそく万事を三重吉に依頼することにした。すると、すぐ金を出せという。金はたしかに出した。三重吉はどこで買ったか、七子（絹織物の一種）の三つ折れの紙入れ（さいふ）を懐中していて、人の金でも自分の金でも悉皆（すべて）この紙入れの中に入れる癖がある。自分は三重吉が五円札をたしかにこの紙入れの底へ押し込んだのを目撃した。

**三重吉**　鈴木三重吉（一八八二〜一九三六）。小説家・児童文学者。漱石の弟子。

**二十円**　「文鳥」の発表された当時、お米は十キロ一円五十六銭で買えた。

かようにして金はたしかに三重吉の手に落ちた。しかし鳥と籠とは容易にやってこない。

そのうち秋が小春（いまの十一月ごろ）になった。三重吉はたびたび来る。よく女の話などをして帰ってゆく。文鳥と籠の講釈はまったく出ない。硝子戸を透かして五尺（やく百五十センチ）の縁側には日がよく当たる。どうせ文鳥を飼うなら、こんな暖かい季節に、この縁側へ鳥籠を据えてやったら、文鳥もさだめし（きっと）鳴きよかろうと思うくらいであった。

三重吉の小説によると、文鳥は千代千代と鳴くそうである。その鳴き声がだいぶん気に入ったとみえて、三重吉は千代千代を何度となく使っている。あるいは千代という女に惚れていたことがあるのかもしれない。しかし当人はいっこう（まったく）そんなことをいわない。自分もきいてみない。ただ縁側に日がよく当たる。そうして文鳥が鳴かない。

そのうち霜が降りだした。自分は毎日伽藍のような書斎に、寒い顔を片付けて（落ちつけて）みたり、取り乱してみたり、頬杖を突いたり已めたりして暮らしていた。戸は二重に締め切った。火鉢に炭ばかり継いで（なくならないようにたして）いる。文鳥はついに忘れた。

ところへ三重吉が門口から威勢よくはいってきた。時は宵の口（日がくれてまもないとき）であった。寒いから火鉢の上へ胸から上を翳して、浮かぬ顔（しずんだ顔つき）をわざとほてらしていたのが、きゅうに陽気になった。三重吉は*豊隆（二一一ページ）を従えている。豊隆はいい迷惑である。二人が籠を一つずつ持っている。その上に三重吉が大きな箱を兄き分に抱えている。五円札が文鳥と籠と箱になったのはこの初冬の晩であった。三重吉は大得意である。まあ御覧なさいという。豊隆その洋燈をもっとこっちへ出せなどという。そのくせ寒いので鼻の頭が少し紫色になっている。

なるほど立派な籠ができた。台が漆で塗ってある。竹は細く削った上に、色が染けてある。それで三円だという。安いなあ豊隆といっている。豊隆はうん安いといっている。自分は安いか高いか判然と判らない（はっきりとわからない）が、まあ安いなあといっている。いいのになると二十円もするそうですという。二十円はこれで二返目である。二十円に比べて安いのは無論である。

この漆はね、先生、日向へ出して曝して（日光にあてて）おくうちに黒味が取れてだんだん朱の色が出てきますから、――そうしてこの竹は一返よく煮たんだから大丈夫ですよなどと、しきりに説明をしてくれる。なにが大丈夫なのかねと聞き返すと、まあ鳥を御覧なさい、奇麗でしょうといっている。なるほど奇麗だ。次の間へ籠を据えて四尺ばかりこっちから見ると少しも動かない。薄暗い中に真っ白に見える。籠の中にうずくまっていなければ鳥とは思えないほど白い。なんだか寒そうだ。

寒いだろうねときいてみると、そのために箱を作ったんだという。夜になればこの箱に入れてやるんだという。籠が二つあるのはどうするんだときくと、この粗末な方へ入れてときどき行水を使わせる（水あびさせる）のだという。これは少し手数が掛かるなと思っていると、それから糞をして籠を汚しますから、ときどき掃除をしておやりなさいとつけ加えた。三重吉は文鳥のためにはなかなか強硬（強く主張してひきさがらない）である。

それをはいはい引き受けると、今度は三重吉が袂から粟を一袋出した。これを毎朝食わせなくっちゃいけません。もし餌（えさ）をかえてやらなければ、*餌壺を出して殻だけ吹いておやんなさい。そうしないと文鳥が実のある粟を一々拾い出さなくっちゃなりませんから。水も毎朝かえておやんなさい。先生は寝坊だからちょうどいいでしょうとたいへん文鳥に親切を極めている（つくしている）。そこで自分もよろしいと万事受け合った（すべてひきうけた）。ところへ豊隆が袂から餌壺と*水入れを出して行儀よく自分の前に並べた。こう一切万事を調えておいて、実行を逼られると、義理にも文鳥の世話をしなければならなくなる。内心ではよほど（とても）覚束なかった（不安だった）が、まずやってみようとまでは決心した。もしできなければ家のものが、どうかするだろうと思った。

やがて三重吉は鳥籠を丁寧に箱の中へ入れて、縁側へ持ち出して、ここへ置きますからといっ

**豊隆**（二〇八ページ）　小宮豊隆（一八八四〜一九六六）のこと。漱石の弟子の一人で、評論家として活躍。伝記「夏目漱石」の著者として知られる。

**鳥籠**（二〇六ページ）・**餌壺**・**水入れ**



て帰った。自分は伽藍のような書斎の真ん中に床を展べて（ふとんを敷いて）冷ややかに寝た。夢に文鳥を背負い込んだ心持ちは、少し寒かったが眠ってみれば不断（いつもの）の夜のごとく穏やかである。

翌朝眼が覚めると硝子戸に日が射している。たちまち文鳥に餌をやらなければならないなと思った。けれども起きるのが退儀（めんどう）であった。今に遣ろう、今に遣ろうと考えているうちに、とうとう八時過ぎになった。仕方がないから顔を洗うついでをもって、冷たい縁を素足で踏みながら、箱の蓋を取って鳥籠を明海へ出した。文鳥は眼をぱちつかせている。もっと早く起きたかったろうと思ったら気の毒になった。

文鳥の眼は真っ黒である。瞼の周囲に細い淡紅色の絹糸を縫い付けたような筋が入っている。眼をぱちつかせる度に絹糸がきゅうに寄って一本になる。と思うとまた丸くなる。籠を箱から出すやいなや、文鳥は白い首をちょっと傾けながらこの黒い眼を移してはじめて自分の顔を見た。そうしてちちと鳴いた。

自分は静かに鳥籠を箱の上に据えた。文鳥はぱっと留まり木を離れた。そうしてまた留まり木に乗った。留まり木は二本ある。黒味がかった青軸（梅の一種）をほどよき距離に橋と渡して横に並べた。その一本を軽く踏まえた足を見るといかにも華奢（ほっそりと上品）にできている。細長い薄紅の端に真珠を削ったような爪が着いて、手頃な留まり木を甘く抱え込んでいる。すると、ひらりと眼先が動いた。文鳥はすでに留まり木の上で方向を換えていた。しきりに首を左右に傾ける。傾けかけた首をふと持ち直して、こころもち前へ伸した（のばした）かと思ったら、白い羽根がまたちらりと動いた。文鳥の足は向こうの留まり木の真ん中あたりに具合よく落ちた。ちちと鳴く。そうして遠くから自分の顔を覗き込んだ。

自分は顔を洗いに風呂場へいった。帰りに台所へ回って、戸棚を明けて、昨夕三重吉の買ってきてくれた粟の袋を出して、餌壺の中へ餌を入れて、もう一つには水を一杯入れて、また書斎の縁側へ出た。

三重吉は用意周到（準備がゆきとどいている）な男で、ゆうべ丁寧に餌を遣るときの心得を説明していった。その説によると、無暗に籠の戸を明けると文鳥が逃げ出してしまう。だから右の手で籠の戸を明けながら、左の手をその下へ宛てがって、外から出口を塞ぐようにしなくっては危険だ。餌壺を出すときも同じ心得（要領。手順）で遣らなければならない。とその手つきまでして見せたが、こう両方の手を使って、餌壺をどうして籠の中へ入れることができるのか、つい聞いておかなかった。

自分は已むを得ず餌壺を持ったまま手の甲で籠の戸をそろりと上へ押し上げた。同時に左の手で開いた口をすぐ塞いだ。鳥はちょっと振り返った。そうして、ちちと鳴いた。自分は出口を塞いだ左の手の処置に窮した（こまった）。人の隙を窺って逃げるような鳥とも見えないので、なんとなく気の毒になった。三重吉は悪いことを教えた。

大きな手をそろそろ籠の中へ入れた。すると文鳥はきゅうに羽搏きを始めた。細く削った竹の目から暖かいむく毛（ふさふさとたれ下がった毛）が、白く飛ぶほどに翼を鳴らした。自分はきゅうに自分の大きな手が厭になった。粟の壺と水の壺を留まり木の間にようやく置くやいなや、手を引き込ました。籠の戸ははたりとひとりでに落ちた。文鳥は留まり木の上に戻った。白い首を半ば横に向けて、籠の外にいる自分を見上げた。それから曲げた首をまっすぐにして足の下にある粟と水を眺めた。自分は食事をしに茶の間へいった。

そのころは*日課として小説を書いている時分（二一五ページ）であった。飯と飯の間はたいてい机に向かって筆を握っていた。静かなときは自分で紙の上を走るペンの音をきくことができた。伽藍のような書斎へはだれもはいってこない習慣であった。筆の音に淋しさという意味を感じた朝も昼も晩もあった。しかしときどきはこの筆の音がぴたりと已む、また已めねばならぬ、折(時)もだいぶあった。そのときは指の股に筆を挟んだまま手の平へ顎を載せて硝子越しに吹き荒れた庭を眺めるのが癖であった。それが済むと載せた顎を一応撮んでみる。それでも筆と紙がいっしょにならないときは、撮んだ顎を二本の指で伸してみる。すると縁側で文鳥がたちまち千代千代と二声鳴いた。

筆を擱いて(書くのをやめて)、そっと出て見ると、文鳥は自分の方を向いたまま、留まり木の上から、のめりそうに白い胸を突き出して、高く千代といった。三重吉がきいたらさぞ喜ぶだろうと思うほどな美い声で千代といった。三重吉は今に馴れると千代と鳴きますよ、きっと鳴きますよ、と受け合って帰っていった。

自分はまた籠の傍へしゃがんだ。文鳥は膨らんだ首を二、三度竪横に向け直した。やがて一団の白い体がぽいと留まり木の上を抜け出した。と思うと奇麗な足の爪が半分ほど餌壺の縁から後ろへ出た。小指を掛けてもすぐ引っ繰り返りそうな餌壺は釣り鐘のように静かである。さすがに文鳥は軽いものだ。なんだか淡雪の精のような気がした。

**日課として小説を書いている時分**（二一三ページ）
当時漱石は、朝日新聞の連載小説「坑夫」を執筆していた。

**菫ほどな小さい人**
漱石の句に「菫程な　小さき人に　生れたし」がある。

**瑪瑙**
石英の小さな結晶の集合体で、白・茶・青色のしまもようをもつ。装身具や印材に使われる。

文鳥はつと（きゅうに）嘴を餌壺の真ん中に落とした。そうして二、三度左右に振った。奇麗に平して入れてあった粟がはらはらと籠の底に零れた。文鳥は嘴を上げた。咽喉のところで微かな音がする。また嘴を粟の真ん中に落とす。また微かな音がする。その音が面白い。静かに聴いていると、丸くて細やかで、しかも非常に速やかである。*菫ほどな小さい人が、黄金の槌で*瑪瑙の碁石でもつづけざまに敲いているような気がする。

嘴の色を見ると紫を薄く混ぜた紅のようである。その紅がしだいに流れて、粟をつつく口尖の辺りは白い。象牙を半透明にした白さである。この嘴が粟の中へはいるときは非常に早い。左右に振り蒔く粟の珠も非常に軽そうだ。文鳥は身を逆さまにしないばかりに尖った嘴を黄色い粒の中に刺し込んでは、膨らんだ首を惜し気もなく右左へ振る。籠の底に飛び散る粟の数は幾粒だか分からない。それでも餌壺だけは寂然（ものさびしいようすで）として静かである。重いものである。餌壺の直径は一寸五分(やく四十五ミリ)ほどだと思う。

自分はそっと書斎へ帰って淋しくペンを紙の上に走らしていた。縁側では文鳥がちちと鳴く。おりおりは千代千代とも鳴く。外では木枯らし(秋から初冬のころにふく強風)が吹いていた。

夕方には文鳥が水を飲むところを見た。細い足を壺の縁へ懸けて、小さい嘴に受けた一雫を大事そうに、仰向いて呑み下している。この分では一杯の水が十日ぐらい続くだろうと思ってまた書斎へ帰った。晩には箱へ仕舞ってやった。寝るとき硝子戸から外を覗いたら、月が出て、霜が降っていた。文鳥は箱の中でことりともしなかった。

明くる日もまた気の毒なことに遅く起きて、箱から籠を出してやったのは、やっぱり八時過ぎであった。箱の中ではとうから(ずっとまえから)目が覚めていたんだろう。それでも文鳥はいっこう不平らしい顔もしなかった。籠が明るいところへ出るやいなや、いきなり眼をしばたたいて(しきりにまたたきして)、こころもち首をすくめて、自分の顔を見た。

昔美しい女を知っていた。この女が机に凭れて(よりかかって)なにか考えているところを、後ろから、そっといって、紫の帯上げ*(二一九ページ)の房になった先を、長く垂らして、頸筋の細いあたりを、上から撫で回したら、女はものう気に(なんとなくけだるいようすで)後ろを向いた。そのとき女の眉はこころもち八の字に寄っていた(すこし眉をしかめていた)。それで眼尻と口元には笑いが萌して（おこ ろうとしていた）いた。同時に恰好の好い頸を肩まですくめていた。文鳥が自分を見たとき、自分はふとこの女のことを思い出した。この女は今嫁にいった。自分が紫の帯上げでいたずらをしたのは縁談の極った二三日あとである。

餌壺にはまだ粟が八分どおりはいっている。しかし殻もだいぶ混じっていた。水入れには粟の殻が一面に浮いて、苛く（たいへん）濁っていた。易えてやらなければならない。また大きな手を籠の中へ入れた。非常に要心して入れたにもかかわらず、文鳥は白い翼を乱して騒いだ。小さい羽根が一本抜けても、自分は文鳥に済まないと思った。殻は奇麗に吹いた。吹かれた殻は木枯らしがどこかへ持っていった。水も易えてやった。水道の水だからたいへん冷たい。

その日は一日淋しいペンの音を聞いて暮らした。その間にはおりおり千代千代という声も聞こえた。文鳥も淋しいから鳴くのではなかろうかと考えた。しかし縁側へ出て見ると、二本の留まり木の間を、あちらへ飛んだり、こちらへ飛んだり、絶え間なく行きつ戻りつしている。少しも不平らしい様子はなかった。

夜は箱へ入れた。明くる朝眼が覚めると、外は白い霜だ。文鳥も眼が覚めているだろうが、なかなか起きる気にならない。枕元にある新聞を手に取るさえ難儀だ。それでも煙草は一本ふかした。この一本をふかしてしまったら、起きて籠から出してやろうと思いながら、口から出る煙の行方を見つめていた。するとこの煙の中に、首をすくめた、眼を細くした、しかもこころもち眉を寄せた昔の女の顔がちょっと見えた。自分は床の上に起き直った。寝巻きの上へ羽織を引っ掛けて、すぐ縁側へ出た。そうして箱の蓋をはずして、文鳥を出した。文鳥は箱から出ながら、千代千代と二声鳴いた。

三重吉の説によると、馴れるに従って、文鳥が人の顔を見て鳴くようになるんだそうだ。現に三重吉の飼っていた文鳥は、三重吉が傍にいさえすれば、しきりに千代千代と鳴きつづけたそうだ。のみならず（そればかりでなく）三重吉の指の先から餌を食べるという。自分もいつか指の先で餌をやってみたいと思った。

次の朝はまた怠けた。昔の女の顔もつい思い出さなかった。顔を洗って、食事を済まして、始めて、気が付いたように縁側へ出て見ると、いつの間にか籠が箱の上に乗っている。文鳥はもう留まり木の上を面白そうにあちら、こちらと飛び移っている。そうしてときどきは首を伸して籠の外を下の方から覗いている。その様子がなかなか無邪気である。昔紫の帯上げでいたずらをした女は襟の長い、背のすらりとした、ちょっと首を曲げて人を見る癖があった。

**帯上げ**（二一六ページ）
帯が下がらないように結び目の内がわにかぶせて飾りにする布。帯揚げとも書く

帯上げ
帯締

粟はまだある。水もまだある。文鳥は満足している。自分は粟も水も易えずに書斎に引っ込んだ。

昼過ぎまた縁側へ出た。食後の運動かたがた、五、六間（やく十メートル）の回り縁を、あるきながら書見する（読書）つもりであった。ところが出て見ると粟がもう七分がた尽きている（なくなっている）。水もまったく濁ってしまった。書物を縁側へ抛り出しておいて、急いで餌と水を易えてやった。

次の日もまた遅く起きた。しかも顔を洗って飯を食うまでは縁側を覗かなかった。書斎に帰ってから、あるいは昨日のように、家人が籠を出しておきはせぬかと、ちょっと縁へ顔だけ出して見たら、はたして出してあった。そのうえ餌も水も新しくなっていた。自分はやっと安心して首を書斎に入れた。とたんに文鳥は千代千代と鳴いた。それで引っ込めた首をまた出して見た。けれども文鳥は再び鳴かなかった。けげんな（ふしぎそうな）顔をして硝子越しに庭の霜を眺めていた。自分はとうとう机の前に帰った。

書斎の中では相変わらずペンの音がさらさらする。書きかけた小説はだいぶんはかどった。指の先が冷たい。今朝埋けた（炭火がきえないよう灰の中にうめた）佐倉炭は白くなって、*薩摩五徳（二二三ページ）に懸けた鉄瓶（鉄でできた湯わかし）がほとんど冷めている。炭取り（炭を入れておくかご）は空だ。手を敲いたがちょっと台所まで聴こえない。立って戸を明けると、文鳥は例に似ず留まり木の上にじっと留まっている。よく見ると足が一本しかない。自分は炭取りを縁に置いて、上からこごんで（かがんで）籠の中を覗き込んだ。いくら見ても足は一本しかない。文鳥はこの華奢な一本の細い足に総身を託して黙然（だまって）として、籠の中に片付いている。

自分は不思議に思った。文鳥について万事を説明した三重吉もこのことだけは抜いたとみえる。自分が炭取りに炭を入れて帰ったとき、文鳥の足はまだ一本であった。しばらく寒い縁側に立って眺めていたが、文鳥は動く気色（ようす）もない。音を立てないで見つめていると、文鳥は丸い眼をしだいに細くしだした。おおかた眠たいのだろうと思って、そっと書斎へはいろうとして、一歩足を動かすやいなや、文鳥はまた眼を開いた。同時に真っ白な胸の中から細い足を一本出した。自分は戸を閉てて（しめて）火鉢へ炭をついだ。

小説はしだいに忙しくなる。朝は依然として寝坊をする。一度家のものが文鳥の世話をしてくれてから、なんだか自分の責任が軽くなったような心持ちがする。家のものが忘れるときは、自分が餌をやる水をやる。しないときは、家のものを呼んでさせることもある。自分はただ文鳥の声を聞くだけが役目のようになった。

それでも縁側へ出るときは、必ず籠の前へ立ち留まって文鳥の様子を見た。たいていは狭い籠を苦にもしないで、二本の留まり木を満足そうに往復していた。天気のいいときは薄い日を硝子越しに浴びて、しきりに鳴きたてていた。しかし三重吉のいったように、自分の顔を見てことさら（とくに）に鳴く気色はさらになかった。

自分の指からじかに餌を食うなどということは無論なかった。おりおり機嫌のいいときは麺麭の粉などを人指し指の先へつけて竹の間からちょっと出してみることがあるが文鳥は決して近づかない。少し無遠慮に突き込んでみると、文鳥は指の太いのに驚いて白い翼を乱して籠の中を騒ぎ回るのみであった。二、三度試みた後、自分は気の毒になって、この芸だけは永久に断念してしまった。今の世にこんなことのできるものがいるかどうだかはなはだ疑わしい。おそらく古代の聖徒（聖人）の仕事だろう。三重吉は嘘を吐いたにちがいない。

ある日のこと、書斎で例のごとくペンの音をたてて佗びしいことを書き連ねていると、ふと妙な音が耳にはいった。縁側でさらさら、さらさらいう。女が長い衣の裾を捌いて（裾がみだれぬようあつかって）いるようにも受け取られるが、ただの女のそれとしては、あまりにも仰山（おおげさ）である。雛段をあるく、*内裏雛の袴の襞の擦れる音とでも形容したらよかろうと思った。自分は書きかけた小説を余所（いいかげん）にして、ペンを持ったまま縁側へ出てみた。すると文鳥が行水を使っていた。

水はちょうどかえたてであった。文鳥は軽い足を水入れの真ん中に胸毛まで浸して、ときどきは白い翼を左右にひろげながら、こころもち水入れの中にしゃがむように腹を圧し付けつつ、総身の毛を一度に振っている。そうして水入れの縁にひょいと飛び上がる。しばらくしてまた飛び込む。水入れの直径は一寸五分ぐらいにすぎない。飛び込んだときは尾も余り、頭も余り、背はむろん余る。水に浸かるのは足と胸だけである。それでも文鳥は欣然（喜んで）として行水を使っている。

自分はきゅうにかえ籠を取ってきた。そうして文鳥をこの方へ移した。それから如露（草木に水をそそぐ道具。じょうろ）を持って風呂場へいって、水道の水を汲んで、籠の上からさあさあと掛けてやった。如露の水が尽きる頃には白い羽根から落ちる水が珠になって転がった。文鳥は絶えず眼をぱちぱちさせていた。

昔紫の帯上げでいたずらをした女が、座敷で仕事をしていたとき、裏二階から懐中鏡で女の顔へ春の光線を反射させて楽しんだことがある。女は薄紅くなった頬を上げて、繊い手を額の前に翳しながら、不思議そうに瞬きをした。この女とこの文鳥とはおそらく同じ心持ちだろう。

**薩摩五徳**（二二〇ページ）
五徳は、火鉢の中におく脚のついた台で、やかんなどをのせる五徳の形の一つ。

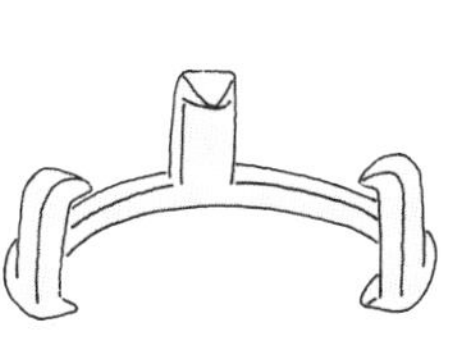

**内裏雛**
天皇・皇后の姿にかたどった男女一そろいのひな人形。

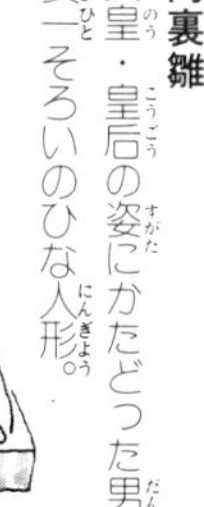

日数が立つに従って文鳥は善く囀る。しかしよく忘れられる。あるときは餌壺が粟の殻だけになっていたことがある。あるときは籠の底が糞でいっぱいになっていたことがある。ある晩宴会があって遅く帰ったら、冬の月が硝子越しに差し込んで、広い縁側がほの明るく見えるなかに、鳥籠がしんとして、箱の上に乗っていた。その隅に文鳥の体が薄白く浮いたまま留まり木の上に、あるか無きかに思われた。自分は外套の羽根（そでのこと）を返して、すぐ鳥籠を箱のなかへ入れてやった。

翌日文鳥は例のごとく元気よく囀っていた。それからはときどき寒い夜も箱に仕舞ってやるのを忘れることがあった。ある晩いつものとおり書斎で専念に（いっしょうけんめい原稿を書いていると）ペンの音を聞いていると、突然縁側の方でがたりと物の覆った（たおれた）音がした。しかし自分は立たなかった。依然として急ぐ小説を書いていた。わざわざ立っていって、なんでもないと忌々しいから、気にかからないではなかったが、やはりちょっと聞き耳を立てたまま知らぬ顔で済ましていた。その晩寝たのは十二時過ぎであった。便所にいったついで、気掛かりだから、念のため一応縁側へ回ってみると——

籠は箱の上から落ちている。そうして横に倒れている。水入れも餌壺も引っ繰り返っている。粟は一面に縁側に散らばっている。留まり木は抜け出している。文鳥はしのびやか(ひっそりと)に鳥籠の桟にかじり付いていた。自分は明日からこの縁側に猫を入れまいと決心した。

翌日文鳥は鳴かなかった。粟を山盛り入れてやった。水を漲る(あふれるほど)ほど入れてやった。文鳥は一本足のまま長らく留まり木の上を動かなかった。午飯を食ってから、三重吉に手紙を書こうと思って、二、三行書き出すと、文鳥がちちと鳴いた。自分は手紙の筆を留めた。文鳥がまたちちと鳴いた。出て見たら、粟も水もだいぶん減っている。手紙はそれぎりにして裂いて捨てた。

翌日文鳥がまた鳴かなくなった。留まり木を下りて籠の底へ腹を圧し付けていた。胸のところが少し膨らんで、小さい毛が漣(細かに立つ波)のように乱れて見えた。自分はこの朝、三重吉から例の件で某所まできてくれという手紙を受け取った。十時までにという依頼であるから、文鳥をそのままにしておいて出た。三重吉に逢ってみると例の件がいろいろ長くなって、いっしょに午飯を食う。いっしょに晩飯を食う。そのうえ明日の会合まで約束して宅へ帰った。帰ったのは夜の九時頃である。文鳥のことはすっかり忘れていた。疲れたから、すぐ床へはいって寝てしまった。

翌日眼が覚めるやいなや、すぐ例の件を思いだした。いくら当人が承知だって、そんなところへ嫁に遣るのは行く末（将来）よくあるまい、まだ子供だからどこへでもゆけといわれるところへゆく気になるんだろう。いったんゆけば無暗（やたらに）に出られるものじゃない。世の中には満足しながら不幸に陥ってゆく者がたくさんある。などと考えて楊枝を使って、朝飯を済ましてまた例の件を片付けに出掛けていった。

帰ったのは午後三時頃である。玄関へ外套を懸けて廊下伝いに書斎へはいるつもりで例の縁側へ出て見ると、鳥籠が箱の上に出してあった。けれども文鳥は籠の底に反っ繰り返っていた。二本の足を硬く揃えて、胴と直線に伸ばしていた。自分は籠の傍に立って、じっと文鳥を見守った。黒い眼を眠っている。瞼の色は薄蒼く変わった。

餌壺には粟の殻ばかり溜まっている。啄むべきは（くちばしでつついてたべられるものは）一粒もない。水入れは底の光るほど涸れている。西へ回った日が硝子戸を洩れて斜めに籠に落ちかかる。台に塗った漆は、三重吉のいったごとく、いつの間にか黒味が脱けて、朱の色が出てきた。

自分は冬の日に色づいた朱の台を眺めた。空になった餌壺を眺めた。空しく橋を渡している二本の留まり木を眺めた。そうしてその下に横たわる硬い文鳥を眺めた。

自分はこごんで両手に鳥籠を抱えた。そうして、書斎へ持ってはいった。十畳の真ん中へ鳥籠を卸して、その前へかしこまって(きちんとすわって)、籠の戸を開いて、大きな手を入れて、文鳥を握ってみた。柔らかい羽根は冷え切っている。

拳を籠から引き出して、握った手を開けると、文鳥は静かに掌の上にある。自分は手を開けたまま、しばらく死んだ鳥を見つめていた。それから、そっと座布団の上に卸した。そうして、烈しく手を鳴らした。

十六になる小女(年わかいお手伝いさん)が、はいといって敷居際に手をつかえる。自分はいきなり布団の上にある文鳥を握って、小女の前へ抛り出した。小女は俯向いて畳を眺めたまま黙っている。自分は、餌を遣らないから、とうとう死んでしまったといいながら、下女の顔を睥めつけた。下女はそれでも黙っている。

自分は机の方へ向き直った。そうして三重吉へ端書をかいた。「家人が餌を遣らないものだから、文鳥はとうとう死んでしまった。たのみもせぬものを籠へ入れて、しかも餌を遣る義務さえ尽くさないのは残酷の至り(むごたらしいことこのうえない)だ」という文句であった。

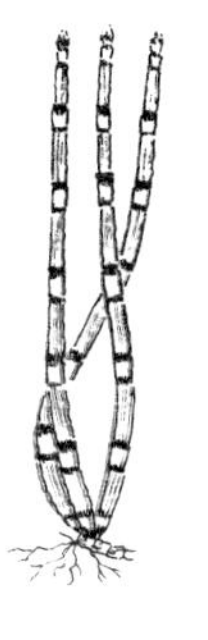

木賊　とくさ科の常緑多年生しだ。高さはやく一メートルになる。茎は、木・骨・角などをみがくのに使う。

自分はこれを投函してこい、そうしてその鳥をそっちへ持ってゆけと下女にいった。下女は、どこへ持ってまいりますかと聞き返した。どこへでも勝手に持ってゆけと怒鳴りつけたら、驚いて台所へ持っていった。

しばらくすると裏庭で、子供が文鳥を埋めるんだ埋めるんだと騒いでいる。庭掃除に頼んだ植木屋が、お嬢さん、ここいらがいいでしょうといっている。自分は進まぬながら、書斎でペンを動かしていた。

翌日はなんだか頭が重いので、十時頃になって漸く起きた。顔を洗いながら裏庭を見ると、昨日植木屋の声のしたあたりに、小さい公札（多くの人に知らせることがらを書きつけた板。高札）が、蒼い木賊の一株と並んで立っている。高さは＊木賊よりずっと低い。庭下駄を穿いて、日影の霜を踏み砕いて、近づいて見ると、公札の表には、この土手登るべからずとあった。筆子（漱石の長女）の手蹟である。

午後三重吉から返事がきた。文鳥は可愛想なことを致しましたとあるばかりで家人が悪いとも残酷だともいっこう書いてなかった。

（一九〇八年）

本書は、岩波書店刊『漱石全集』を底本としました。

# 解説

佐藤　泉

夏目漱石は一八六七年、江戸牛込馬場下横町、現在の新宿区喜久井町に生まれた。この年は明治改元の前年にあたるので、漱石の年齢は明治の元号年にほぼ重なっている。「坊っちゃん」は一九〇六（明治三十九）年、漱石が三十九歳のときに書かれた作品である。

江戸っ子の坊っちゃんが愛媛の中学校の教師になるという筋立ては、漱石自身の経験をもとにしている。漱石は東京府立第一中学、第一高等中学本科を経て東京帝国大学の英文科を卒業し、いわば当時のエリートコースをまっしぐらに進んだのだが、一八九五（明治二十八）年、東京高等師範学校英語講師の職を辞して愛媛県伊予尋常中学校（松山中学校）の教員に就任し、松山に住むことになった。翌年には熊本の第五高等学校に転任しているので松山での生活は一年だけだったが、この経験を背景にして「坊っちゃん」にはこの土地の風景や生活の様子が具体的に生き生きと描かれている。

だが、もちろんこの作品が当時の漱石の体験そのままということではない。もしこの作品に登場する人物のモデルを考えるなら、坊っちゃんは正義感の強い江戸っ子だから漱石自身だといえるが、一方、悪役の赤シャツも帝国大学を出た文学士であるという点で、やはりモデルは漱石以外に考えられない。赤シャツが教員室で読んでいる「帝国文学」という雑誌があるが、漱石はこの雑誌の編集委員であり、さらにこの雑誌に「倫敦塔」という短編小説を発表している。つまり自分の文章がのっている雑誌を、作品のなかではキザでいやみな雑誌のように書いている。そういう遊びをたっぷりと楽しみながら、漱石はこの作品を書いているのだろう。だから、悪役を描くときにも、卑怯だ卑劣だといらだちながら、きびしすぎる批判にはならず、やわらかいユーモアの気分をなくしていない。

この作品は「風刺小説」というジャンルに入る。このジャンルの小説では、現実を現実らしく描くというよりも、人間の癖や欠点などを極端に誇張して描きだし、その特徴を批評するという方法をとる。たとえば、赤シャツや野だいこなど、悪い人間はおかしいくらいにどこまでも悪く、逆にうらなりくんなど良い人間はどこまでも良い人間として、描かれることになる。現実の人間は誰でも少しずつ赤シャツのような卑怯な一面をもっているし、また坊っちゃんのような正義感もあわせもっているだろう。その誰でもが少しずつもっている一面を純粋に取り出してみせるのが風刺小説の方法だ。だから登場人物それぞれの癖や動きが映画やまんがで見るようにはっきり見えてくる。

「坊っちゃん」と並んで、よく読まれている漱石の小説に「こころ」があるが、そのなかには「根っからの悪人や根っからの善人などというものはいない、不断は普通の人がいざという場合に悪人になるのだ」ということが書かれている。登場人物が悪人か善人かに分けられる「坊っちゃん」とは、まったく逆の考え方をしているように見えるだろう。これは小説の種類の違いなのである。「坊っちゃん」は「風刺小説」というジャンルに入り、「こころ」は人間の心が変化していく様子を細かく描く「心理小説」というジャンルに入る。漱石はこのように、おなじ人間という問題を考えるときにも、さまざまなやりかたで説き明かしているのである。「坊っちゃん」は、いわば水を水素と酸素に分解してみせるように書いているが、「こころ」は水を水のまま、その流れをたどるようにして書いている。その違いが、作品のもつ雰囲気の違いなのである。「坊っちゃん」の軽快さ、「こころ」の複雑さや重み、まったく雰囲気の違う作品を比べて読んでみたらおもしろいだろう。

「坊っちゃん」は明治時代の小説のなかでもっともおもしろく、軽快で読みやすい文体をもっている。語り手の坊っちゃんは、ちゃきちゃきの江戸っ子がけんかをするときの決まり文句を連発し、そして自分ではおかしくないと思っているようだがどこかおかしなことを言う。坊っちゃんが心のなかで思ったことが直接この小説の文体なのであり、彼の性格そのまま、せっかちで単純でスピード感にあふれている。そして、ほかの登場人物たちの話し方も極めてあざやかな個性をもっている。それぞれの人物の性格の違いは、なによりその話し方の違いである。狸は校長先生の訓話の話し方、つまり本音とはおおよそかけはなれた理想、建て前を語るし、赤シャツは人のしらないカタカナ言葉を振り回しインテリ然と話している。野だいこはその名のとおり客に取り入りごまをする軽薄な太鼓持ちの話しぶりだ。さらに坊っちゃんの早口の江戸言葉に対して、生徒たちの愛媛弁、「な、もし」言葉がうまくつかわれる。土地べつ、役職べつの何種類もの話し方が衝突しあって、それを坊っちゃんの歯切れのいい言葉からなる地の文が受けている。

これほどにぎやかで多様な文体を織りこんでいる小説はほかにないだろう。坊っちゃんは、同僚である教師に対してもけんかごしで、いつもたんかを切っている口ぶりだ。だがその無鉄砲なスピードは、遠く離れた東京で坊っちゃんのことをいつでも心配している清の永遠の信頼と愛情によって裏側から支えられているということも大切な特徴になっている。

　漱石の書く作品は、「坊っちゃん」や「吾輩は猫である」などどれもたいへんな評判で、ついに一九〇七（明治四十）年には朝日新聞社の専属作家になった。「文鳥」は入社の翌年に書かれ、日々ひとり静かな書斎で新聞連載の小説を書いている漱石の様子がわかる。「坊っちゃん」の陽気さとは対照的だが、この小品にも静かなユーモアがただよっている。そしてところどころに「淡雪の精のような」といった神秘的といっていいほどの比喩がつかわれる。ここにあるひとつひとつの言葉がいかに美しいかを感じてほしい。

（青山学院女子短期大学専任講師）

# 夏目漱石　略年譜

一八六七（慶応三）年
一月五日、父夏目直克、母千枝の五男として東京（現在の新宿区喜久井町）に生まれる。金之助と名づけられる。

一八六八（明治一）年（一歳）
塩原昌之助の養子となる。住居を転々と変える。

一八七四（明治七）年（七歳）
浅草の小学校に入学。

一八七六（明治九）年（九歳）
夏目家にもどる。市ヶ谷小学校に転校。

一八七八（明治十一）年（十二歳）
東京府立一中に入学。

一八八一（明治十四）年（十四歳）
母千枝死去。一中を中退し、二松学舎に転校。

一八八四（明治十七）年（十七歳）
大学予備門予科に入学。

一八八六（明治十九）年（十九歳）
腹膜炎にかかり、落第。

一八八九（明治二十二）年（二十二歳）
正岡子規と知りあい、以後子規の死まであつい友情で結ばれる。

一八九〇（明治二十三）年（二十三歳）
東京帝国大学文科大学英文科（現在の東京大学文学部）に入学。

一八九二（明治二十五）年（二十五歳）
子規と京都、松山などへ旅行。高浜虚子と知りあう。

一八九三（明治二十六）年（二十六歳）
英文科卒業、大学院へ進む。

一八九五（明治二十八）年（二十八歳）
愛媛県の松山中学に赴任。子規と同じ下宿に住む。熱心に俳句を作る。

一八九六（明治二十九）年（二十九歳）
熊本市の第五高等学校に転任。中根鏡子と結婚。

一八九七（明治三十）年（三十歳）
父直克死去。

一九〇〇（明治三十三）年（三十三歳）
イギリスに留学。（一九〇三年帰国）

一九〇二（明治三十五）年（三十五歳）
子規死去。

一九〇三（明治三十六）年（三十六歳）
東京　文京区千駄木町に転居。

一九〇五（明治三十八）年（三十八歳）
「吾輩は猫である」を雑誌『ホトトギス』に発表。

一九〇六（明治三十九）年（三十九歳）
「坊っちゃん」を『ホトトギス』に発表。「草枕」を『新小説』に発表。

一九〇七（明治四十）年（四十歳）
朝日新聞社に入社。

一九〇八（明治四十一）年（四十一歳）
「文鳥」「三四郎」を発表。

一九〇九（明治四十二）年（四十二歳）
「永日小品」「それから」を発表。

一九一〇（明治四十三）年（四十三歳）
静岡県伊豆で多量の血をはき、危篤になる。

一九一二（大正一）年（四十五歳）
「彼岸過迄」「行人」を発表。

一九一四（大正三）年（四十七歳）
「こころ」を発表。

一九一五（大正四）年（四十八歳）
「道草」を発表。芥川龍之介、久米正雄らが教えを受けにくる。

一九一六（大正五）年（四十九歳）
胃潰瘍が悪化し、十二月九日死去。「明暗」は未完におわる。法名、文献院古道漱石居士。

本文注釈――小田切 進
装　丁――菊地信義
カバー・表紙地紋――金田理恵
カバーイラスト――桑原伸之
さし絵――高田　勲
本文カット――とよたかずひこ
口絵レイアウト――菊地信義
写真資料提供――本社資料センター

913 夏目漱石

ポケット日本文学館 ①

坊 っ ち ゃ ん

講談社 1995

236p 18cm

内容：坊っちゃん 文鳥

なつめそうせき

# ポケット日本文学館① 坊っちゃん

一九九五年四月十日 第一刷発行
一九九八年九月三十日 第五刷発行

著　者……夏目漱石
発行者……野間佐和子
発行所……株式会社 講談社
東京都文京区音羽二-十二-二十一
郵便番号 一一二-八〇〇一
電話 出版部〇三(五三九五)三五三五
販売部〇三(五三九五)三六二五
製作部〇三(五三九五)三六一五

印刷所……廣済堂印刷株式会社
製本所……株式会社若林製本工場



ISBN4-06-261701-3（児一）

## ポケット日本文学館 3

# 走れメロスほか　太宰治／井伏鱒二

〔収録作品〕 走れメロス／富嶽百景／晩年（抄）／雪の夜の話／お伽草紙／山椒魚／屋根の上のサワン

「私は、信頼に報いなければならぬ。いまはただその一事だ。走れ！　メロス。」あまりにも有名な、この短い文章のなかに、竹馬の友、セリヌンティウスへのメロスの友情のたけが表現されている。真の「友情」とは、「信頼」の尊さに裏づけされていることを示唆した作品である。

わかりやすさがクセになる！　ポケットに名作を

**五大特長**

①作品のイメージが広がるカラーさし絵入り。
②むずかしい言葉には傍注で説明。
③作品の背景がよくわかる豊富なコラム。
④漢字はすべて総ルビ。
⑤軽くて、読みやすいハンディ・サイズ。

●全国書店にて、好評発売中！

# ポケット日本文学館(全16巻)

| | |
|---|---|
| ❶坊っちゃん | 夏目漱石 |
| ❷銀河鉄道の夜 | 宮沢賢治 |
| ❸走れメロスほか | 太宰治・井伏鱒二 |
| ❹次郎物語 | 下村湖人 |
| ❺たけくらべ・山椒大夫 | 樋口一葉・森鷗外 |
| ❻トロッコ・鼻 | 芥川龍之介 |
| ❼吾輩は猫である(上) | 夏目漱石 |
| ❽吾輩は猫である(下) | 夏目漱石 |
| ❾ビルマの竪琴 | 竹山道雄 |
| ❿赤いろうそくと人魚ほか | 小川未明・坪田譲治・浜田広介 |
| ⓫小僧の神様・一房の葡萄ほか | 志賀直哉・武者小路実篤・有島武郎 |
| ⓬二十四の瞳 | 壺井栄 |
| ⓭野菊の墓ほか | 島崎藤村・伊藤左千夫 |
| ⓮しろばんば | 井上靖 |
| ⓯伊豆の踊子・風立ちぬ | 川端康成・堀辰雄 |
| ⓰ごんぎつね・夕鶴 | 新美南吉・木下順二 |